Un été western

Du même auteur
Chez le même éditeur

Pelouses Blues, roman, collection Conquêtes, 1992.

Aux Éditions du Boréal
La chimie entre nous, roman, collection Boréal Inter, 1989.
Premier but, roman, collection Boréal Inter, 1990.

Aux Éditions Paulines
Liberté surveillée, roman, collection Lectures VIP, 1993 (roman à six mains écrit avec Cécile Gagnon et Robert Soulières).

Roger Poupart

Un été western

roman

ÉDITIONS PIERRE TISSEYRE
5757, rue Cypihot — Saint-Laurent, H4S 1X4

La publication de cet ouvrage a été rendue possible grâce à une subvention du Conseil des Arts du Canada et du ministère de la Culture du Québec.

Dépôt légal: 1er trimestre 1994
Bibliothèque nationale du Canada
Bibliothèque nationale du Québec

Données de catalogage avant publication (Canada)

Poupart, Roger

Un été western

(Collection Conquêtes; 43)
Pour les jeunes.

ISBN 2-89051-545-1

I. Titre. II. Collection.

PS8581.O856E83 1994 jC843'.54 C94-940211-7
PS9581.O856E83 1994
PZ23.P68Et 1994

Illustration de la couverture:
Alain Longpré

1234567890 IML 987654

ISBN-2-89051-545-1
10750

Je réponds ordinairement à ceux qui me demandent raison de mes voyages que je sais bien ce que je fuis, mais non pas ce que je cherche.

Montaigne

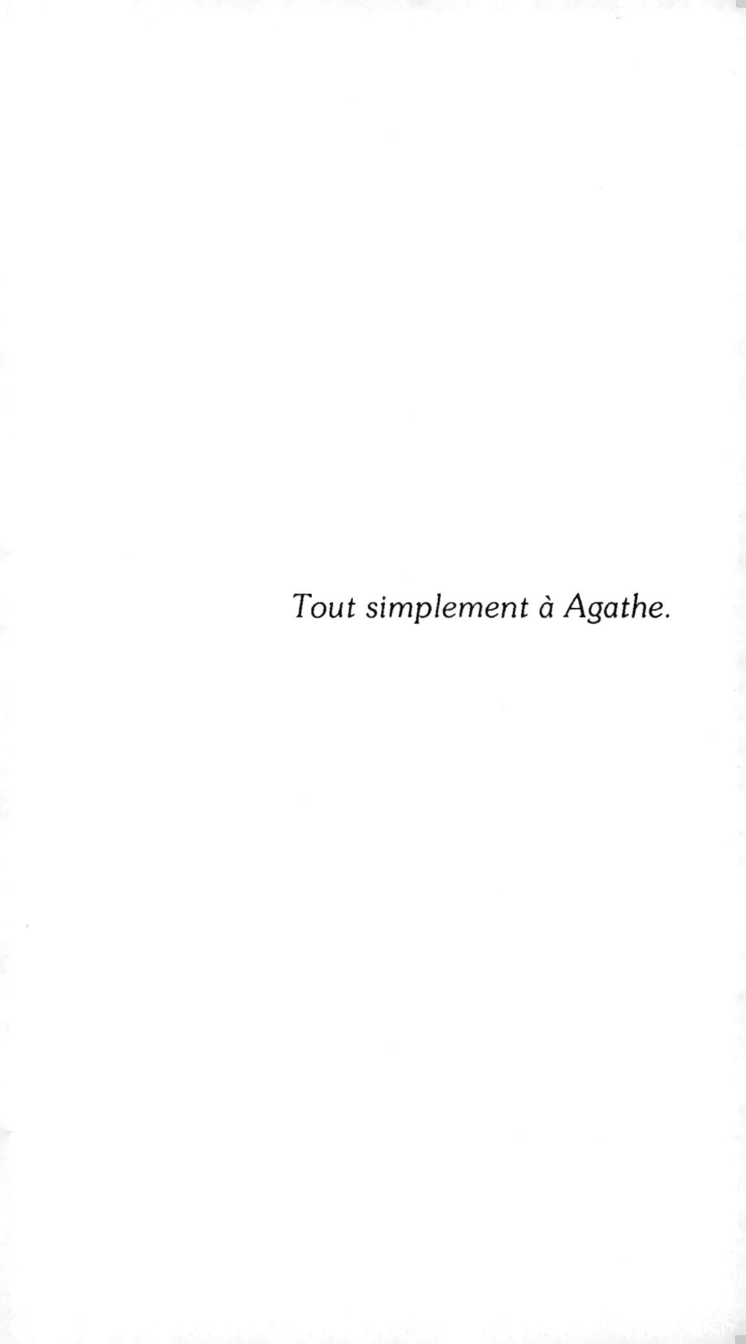

Tout simplement à Agathe.

— Pourquoi vous ne voulez pas m'emmener avec vous autres?

— Ça fait mille fois qu'on revient là-dessus, Roxanne. Je ne sais plus quoi te dire. C'est un voyage de gars, notre affaire... On l'a planifié comme ça, Steve et moi.

— Vous voulez descendre aux États pour sauter des Américaines? C'est ça, votre plan?

— Tu racontes n'importe quoi, Roxanne.

— Steve ne veut pas que tu m'emmènes? C'est ça d'abord?

— Bien sûr que non! Ça n'a rien à voir avec Steve.

— Alors, c'est toi?

— Non plus! Ah! Des fois, Roxanne, on dirait que tu fais exprès pour tout mêler.

— Je n'aime pas qu'on me prenne pour une valise. Un point, c'est tout...

— De toute façon, Roxanne, tu as fait des pieds et des mains pour décrocher un emploi à la garderie cet été. Tu n'es pas prête à laisser tomber tes patrons comme ça, sans avertissement. Je te connais assez pour savoir que ça te ressemble pas.

— Pour qui tu te prends, Marc-André Racine! T'as pas à décider à ma place...

Mieux vaut abandonner la partie. Je n'aurai pas le dessus sur Roxanne aujourd'hui. Ses remarques sont trop cinglantes et ses répliques trop bien affûtées.

Cette scène, parce qu'il s'agit bien d'une scène dans tous les sens du mot, se déroule à l'arrière des cuisines du restaurant *Poulet Frit Kentucky* du boulevard Lafleur, à ville Lasalle, là où nous entreposons le poulet, les sacs de frites McCain, les gros récipients de salade de choux.

Les vacances d'été sont commencées depuis une semaine et je travaille au *PFK* à temps plein. C'est mon deuxième été ici, ce qui fait de moi un vétéran et, en quelque sorte, l'homme de confiance du gérant.

Je mangeais tranquillement du poulet frit, comme je le fais tous les midis[1]. Je m'étais assis sur une chaudière de plastique virée à l'envers lorsque Roxanne est entrée par la sortie de secours. Entrée par la sortie! Ça sonne bizarre mais je pense que ça se dit.

En général, les visites de Roxanne à l'improviste me font bien plaisir. Roxanne, c'est un peu d'air frais dans ma journée, une bouffée de parfum dans cette atmosphère suiffeuse et grasse. Une colombe dans ce monde pourri de poulets nourris aux hormones.

Roxanne ne me critique pas. Ça ne semble pas la déranger outre mesure que j'empeste l'huile bouillante et la recette secrète du colonel, elle qui sent toujours bon la lavande, le muguet ou la violette.

---

1. Le poulet est gratuit. Aussi bien en profiter. C'est l'unique avantage social que me confère cet emploi. Enfin, emploi est un bien grand mot. Disons plutôt qu'il s'agit d'un job d'été.

Mais toujours est-il qu'aujourd'hui, j'aurais préféré qu'elle ne vienne pas. Même si...

Même si Roxanne a enfilé une jupe courte et fleurie que j'aime beaucoup. Elle porte aussi une petite chaîne d'or à la cheville, si délicate que je n'arriverais même pas à l'enrouler autour de mon poignet. Ses cheveux sont remontés en chignon. Elle s'est légèrement maquillée, rien qu'une fine ligne noire sous les yeux. C'est bien simple, elle mettrait K.-O. le champion du monde des poids lourds. Imaginez moi alors...

Elle vient s'asseoir à mes côtés, croise les jambes dans un sens, puis dans l'autre, pose sa main au creux de la mienne.

Je me sens ridicule dans mon accoutrement d'employé de la *Villa du Poulet*. Je joue machinalement avec mon bonnet de cuistot. J'ai les cheveux tout aplatis dessous et ça me gêne. Je regarde par terre.

— M'aimes-tu vraiment, Marc-André?

— Pardon?

— Je te pose une question, Marc-André Racine. Tu t'appelles bien Marc-André, non? C'est bien le nom qui est écrit sur ton uniforme, pas vrai?

— Ben voyons, Roxanne. Pourquoi tu me demandes ça? Bien sûr que oui. Tu poses donc de drôles de questions des fois...

— Merde, Marc-André! Tu dis ça sur le même ton que si je te demandais si tu aimes ta mère ou les motos.

— Ben voyons, Roxanne...

Si je voulais être macho, je dirais que les motos ont un avantage sur Roxanne: elles sont moins compliquées et elles ne discutent pas. Mais je m'en veux déjà d'avoir pensé une chose du genre.

— La preuve, Roxanne, c'est que tu es la meilleure blonde que j'aie jamais eue.

Quel compliment imbécile! Je me surpasse des fois. Roxanne n'est évidemment pas dupe d'une aussi grossière flagornerie.

— Ça ne veut rien dire. Je suis la première!

— Et qu'est-ce que tu fais de Fanny Lavigne?

— Fanny Lavigne? Tu es déjà sorti avec Fanny Lavigne?

Roxanne retire sa main de la mienne.

— Ben... oui. Enfin, je pensais que tu le savais. Mais pas longtemps, je t'assure. Quelques semaines au max. Peut-être même moins que ça.

— Tu me déçois, Marc-André Racine. Tu me déçois beaucoup. Sortir avec Fanny Lavigne. Ça veut dire que tu as embrassé cette greluche-là. Ouache... Ça devait être écœurant. Une grande bouche de clown avec des dents toutes croches. Est-ce qu'elle portait encore ses broches dans ce temps-là?

— Tu exagères. Elle n'est pas si pire que ça quand même.

— Fanny Lavigne est une grosse épaisse. Tout le monde sait ça, voyons!

— Tu me fais une crise de jalousie maintenant? Tu veux me faire sentir coupable? Mais ça ne marche pas, Roxanne. Ça ne marche pas pantoute...

— D'accord! Alors, retourne avec elle si tu la trouves mieux que moi!

Roxanne me regarde avec défi. Sa ligne noire sous les yeux ne me séduit plus. Elle me fait peur.

Bon. Du calme. Reprenons nos esprits.

— Depuis quelque temps, dit Roxanne en reprenant sa voix douce et en faisant glisser sa main sous mon tablier, tu passes ton temps chez Steve. On ne se voit presque plus...

— C'est normal, Roxanne. On prépare notre voyage. Steve pense que...

— Steve, Steve, Steve! scande Roxanne avec agacement. Tu m'énerves avec ton Steve. On dirait que tu sors plus avec lui qu'avec moi...

— Mais... Roxy Baby!

— Et surtout, ne m'appelle pas comme ça! Tu sais que j'ai horreur de ça!

Décidément, tout va mal aujourd'hui.

Elle se lève brusquement, je fais le geste de l'attraper par la taille, lorsque le gérant fait irruption, un sac d'ordures dans chaque main. Il veut m'interpeller lorsqu'il constate la présence de Roxanne. Cela freine son élan.

Nous l'avons baptisé Face de Rat. Pourquoi? Parce qu'il bouge les narines quand il est nerveux. Parce que ses yeux sont cernés et que le teint de sa peau tire sur le gris. Autre curieux phénomène chez lui: sur son crâne, pourtant quasiment chauve, les pellicules prolifèrent.

Bref, Face de Rat n'a rien d'un *top model*.

— Encore sur ton heure de dîner? vocifère-t-il.

— Euh... Je m'apprêtais justement à retourner au boulot.

— Ah oui? Alors, grouille-toi. On est dans le jus de l'autre côté.

Roxanne se faufile entre les caisses de poulet. Face de Rat l'examine des pieds à la tête. Puis, il me lance un regard amusé et lève le pouce, d'un air entendu. Grossier animal. Je fais comme si je ne le voyais pas. Il quitte l'arrière-cuisine pour retourner à ses oignons. Je suis de nouveau seul avec Roxanne qui pousse la porte de la sortie de secours sans se retourner. Je lui dis sur un ton implorant:

— Écoute Roxanne, on ne va quand même pas se laisser là-dessus, hein?

— Pourquoi pas? réplique-t-elle, imperturbable. Je t'ai demandé si tu m'aimais, tu n'as pas été capable de répondre. Tant pis pour toi.

— Je termine à onze heures, ce soir. Je peux aller te voir après?

— Pourquoi ne vas-tu pas chez Steve à la place? Puisque tu t'entends si bien avec lui. Moi, je me couche tôt pour être en forme demain à la garderie. Salut!

BONG! La porte d'acier se referme lourdement sur ses pas.

Face de Rat réapparaît. A-t-il écouté aux portes? Il en serait bien capable. Constatant le départ de Roxanne, il pose sa grosse patte sur mon épaule et tente de se montrer compréhensif.

— Ah! Les femmes! Sont toutes pareilles. Faut pas t'en faire...

Il déplace quelques sacs à ordures pour gagner de l'espace tandis que j'époussette dédaigneusement mon épaule.

Revenons à nos moutons. Vous l'avez compris, Steve et moi avons décidé de prendre le large cet été. De partir aux États. Comment? On ne le sait pas encore. Ça dépendra des finances. Où? Au Kentucky. Pourquoi le Kentucky? Parce que Steve a de la parenté là-bas.

De la parenté, oui, plus exactement... un père!

C'est une longue histoire. Je la raconterai au fur et à mesure que cette aventure avancera. Je n'en sais pas beaucoup plus pour le moment. Steve est très discret au sujet de son paternel. Ou peut-être ne sait-il pas grand-chose lui non plus. On verra bien.

Pour l'instant, disons que nous avons une occasion en or d'aller travailler dans une ferme d'élevage de chevaux. Pas n'importe quelle sorte de chevaux. Des chevaux de course. Oui, monsieur, des pur-sang! Pas des vieilles picouilles comme on en voit sur le bord de nos routes de campagne...

Steve en a plein le dos de faire des ménages à la commission scolaire, et moi, j'ai mon voyage du poulet frit Kentucky. Je veux voir le vrai Kentucky en chair et en os. J'en ai assez de celui des boîtes de carton rayées rouge et blanc avec la vieille tête du colonel Harland Sanders imprimée dessus. Cet été, je veux voir du pays, humer à pleins poumons l'air d'ailleurs.

Il est à peu près temps.

À vrai dire, je ne suis jamais sorti du Québec, sauf pour aller faire du camping avec ma famille sur la côte Est américaine et dans les Maritimes quand j'étais petit. Sauf aussi pour visiter Ottawa avec les élèves de ma classe l'année dernière. Wildwood, les Acadiens du Nouveau-Brunswick et la colline parlementaire... Plutôt minces comme souvenirs de voyage. Pas de quoi écrire un livre. Même pas un article pour le journal de l'école.

Mais il y a un problème: persuader mon entourage.

Steve a de la chance, lui. Il n'a que sa mère à convaincre et elle est gagnée d'avance à l'idée. Elle trouve que, les voyages, c'est bon pour former le caractère et que ça développe le sens de la débrouillardise. À mon avis, ce n'est pourtant pas ce qui manque à Steve.

Pour moi, c'est plus complexe.

Premièrement, il y a ma mère. Ma mère poule, je devrais dire. Elle s'inquiète à propos de tout et de rien. Souvent à propos de moi, d'ailleurs. Je ne suis pourtant pas exactement un fils à problèmes. Je veux dire par là que je ne donne pas à mes parents trop de fil à retordre. Je ne me drogue pas, je ne bois pas beaucoup, j'ai des notes pas si pires à l'école, je n'ai jamais fait de fugue, ni mis de fille enceinte, ni tenté de me suicider ou d'assassiner quelqu'un. Bref, je suis un bon garçon pas trop compliqué.

Bien sûr, je ne suis pas un fils modèle non plus. Mon jeune frère Alexandre l'est, et un chouchou par famille, ça suffit amplement!

Deuxièmement, il y a mon père. Probablement l'adulte avec lequel je m'entends le plus mal. On dirait même que ça empire avec le temps. Mais j'ai peut-être des chances d'obtenir son autorisation avec l'idée d'immersion en anglais. Il me casse si souvent les oreilles avec ça qu'il devrait dire oui. *Yes sir.*

La seule chose qu'il risque de ne pas apprécier, c'est la présence de Steve. Il pense qu'il a une mauvaise influence sur moi, que ce n'est pas un garçon de bonne fréquentation et d'autres sottises du même genre.

Enfin, rien n'est moins prévisible qu'une réaction de parent. Tout dépend de l'enrobage. Une fois le paternel gagné à ma cause, ce ne sera plus qu'une question de temps avant que ma mère se rallie. Je connais le scénario.

Troisièmement, il y a Roxanne...

Steve, lui, n'a pas de blonde pour le moment. Ah! Si on emmenait Roxanne avec nous, elle n'aurait plus aucune objection, c'est certain. Mais mes parents pousseraient des hauts cris. Imaginez la scène! Leur fils aîné quitter le giron familial avec sa blonde pour le *Midwest* américain! Ça ne passerait jamais. Invendable, comme disent les politiciens.

De toute façon, la question ne se pose pas. C'est un voyage de gars, je l'ai dit plus haut. Roxanne a beau parler parfaitement l'anglais, c'est même sa langue maternelle, elle ne doit pas venir avec nous.

J'attache les cordons de mon tablier et je coiffe mon bonnet de cuisinier. Je retourne à mes poêles et aux morceaux de poulet qui m'attendent dans la panure. Patience, Marc-André, tu n'auras plus à porter très longtemps ce costume ridicule ou à exécuter ce travail insignifiant.

— Un baril de douze morceaux, une sauce, une extra *coleslaw,* marmonne sur un ton monocorde la caissière dans le micro.

Encore deux petites semaines de ce régime. C'est tout ce qui me reste à purger. Ensuite, les États-Unis vont m'ouvrir leurs grands bras bronzés, tatoués d'un immense tapis rouge et bleu couvert d'étoiles blanches. Tiens-toi bien, mononcle Sam, j'arrive!

2 LE MARTEAU ET LE COCHON

J'entre chez Steve sans frapper. C'est toujours ouvert chez lui pour la bonne raison qu'il n'y a rien à voler. Même pas de vidéo ou de chaîne stéréo. Un vieux téléviseur sur des pattes en bois, c'est tout, bien trop pesant du reste pour intéresser les voleurs.

— Youhou. Y'a quelqu'un?

Pas de réponse. On s'est pourtant donné rendez-vous chez lui.

Steve habite à côté du pont Mercier, dans une petite maison plutôt moche. Sa mère ne gagne pas des millions: elle est caissière dans une banque. Dire qu'elle voit tout cet argent lui filer entre les doigts pour en ramener si peu à la maison... Il y a quelque chose d'injuste et d'un peu malsain là-dedans. En plus, son travail l'oblige à dépenser une fortune en vêtements. Il faut toujours être souriante et coquette quand on exerce ce foutu métier.

Alors, pour boucler les fins de mois, Steve est parfois mis à contribution. Ce qu'il gagne à faire des ménages dans les écoles de la commission scolaire sert de temps en temps à payer des petits bouts de loyer, une facture d'électricité par-ci, un compte de téléphone par-là. Il ne rouspète même pas.

Moi, mes payes s'en vont directement dans mon compte de banque... pour en sortir aussitôt. Je dépense mon argent sur toutes sortes de bébelles: vélo de montagne, planche à neige, *walkman*... Évidemment, si j'arrivais à me discipliner un peu, je mettrais peut-être des sous de côté pour m'acheter une moto. Mon rêve, même si ma mère est contre.

Par rapport à Steve, je suis, ce que l'on pourrait appeler, un jeune garçon privilégié. J'habite une confortable maison unifamiliale de la 80e Avenue d'où l'on peut voir le fleuve Saint-Laurent agité par les rapides de Lachine.

De sa maison, Steve, lui, entend les voitures fracasser leur carrosserie sur les piliers du pont Mercier, les soirs de pluie ou de verglas. C'est peut-être moins poétique que chez nous mais drôlement plus divertissant.

Autre détail important: Steve a abandonné l'école cette année, avant même de finir son secondaire 5. Dans le vocabulaire du ministère de l'Éducation, Steve est un décrocheur. Dans mon vocabulaire à moi, c'est un sacré imbécile!

J'ai essayé de le dissuader, de lui faire comprendre qu'il fallait continuer même si c'est pénible, l'école. Il n'a rien voulu entendre. Sa mère n'a pas eu plus de succès. Steve a une tête de cochon. Une grosse en plus.

Il est persuadé qu'il a suffisamment de talent pour gagner sa vie avec sa guitare. Il dit que l'école le détourne de sa vocation de musicien. Un gars si brillant... Quel gaspillage!

Je me rends au sous-sol. C'est là que Steve passe le plus clair de son temps, avec sa vieille guitare électrique qu'il a baptisé Lucienne.

— Lucienne? C'est un drôle de nom pour une guitare, non?

— B.B. King a bien appelé la sienne Lucille, a coutume de répondre Steve quand on lui pose la question. Et Albert King avait nommé la sienne Lucy.

Steve possède un amplificateur d'occasion couvert d'autocollants à moitié déchirés, comme une valise qui aurait fait plusieurs fois le tour de la planète. Sauf que les pays, ici, portent des noms de musiciens, *bluesmen* et rockeurs.

Je m'arrête dans l'escalier et j'aperçois Steve, assis sur son ampli et concentré sur son instrument. Il porte son casque d'écoute. C'est pour éviter de déranger tout le quartier, mère comprise, quand il répète.

Son casque ne couvre qu'à moitié sa chevelure rebelle. Ah! ses longs cheveux blonds et bouclés qui font pâmer les filles. Steve préfère garder ses distances. Il ne s'entiche pas facilement.

Il joue de la guitare avec cœur, c'est le moins qu'on puisse dire. Sa main gauche glisse sur le manche de l'instrument — il porte un petit objet de métal pour donner un son *slide* —, tandis qu'il pince les cordes de son autre main. Il a bien étudié le jeu de ses idoles. Il roule les épaules et jette la tête en arrière, à la manière d'Eric Clapton dans ses vieux vidéoclips. Steve garde les yeux fermés et se mord les babines dans les moments les plus intenses. Il est assez bon *showman,* ce qui est au moins aussi important, sinon plus, que de savoir jouer de la guitare quand on espère faire carrière dans le domaine.

Il fait comme si l'électricité quittait Lucienne pour pénétrer dans son corps et qu'une nuée d'électrons montait le long de son échine. Totalement absorbé par sa musique, Steve ne remarque évidemment pas ma présence. Une fille toute nue viendrait danser pour lui qu'il ne la verrait pas plus. Il continuerait de jouer jusqu'à ce que la fille plie bagage. Façon de parler puisqu'elle n'aurait pas grand-chose à ranger dans ses valises...

Je m'approche lentement, je me penche au-dessus de l'amplificateur et je monte le volume au maximum.

Ses cheveux se dressent sur sa tête, ses doigts se crispent sur sa guitare et...

— Ahhhhhhhhhh!

Grand cri de mort.

En une fraction de seconde, il arrache son casque d'écoute. La fraction de seconde suivante, il me saute au collet et rugit.

— Tu veux me crever les tympans ou quoi?

— Les nerfs, Steve. C'était juste une farce.

— Une farce plate en ostie!

Il relâche prise pour se gratter l'intérieur des oreilles, histoire de vérifier si tout fonctionne comme avant.

Je défroisse ma chemise.

— Tu avais l'air parti, *man*. Tu étais drôle à voir.

En guise de réponse, Steve me montre son majeur, majestueusement pointé vers le plafond.

— Tu aurais pu me rendre sourd, Marc-André. Un musicien peut se permettre d'être aveugle. Ça peut même aider. Prends Stevie Wonder. Prends Ray Charles. Mais sourd, non, ça jamais!

— Qu'est-ce que tu fais de Beethoven?

Il ne répond pas. Serait-il devenu sourd pour de vrai?

Les murs de la chambre de Steve sont couverts d'affiches de musiciens noirs. Je n'en connais aucun. Il me les a déjà présentés mais, d'une fois à l'autre, j'oublie leurs noms. Ce sont tous des Big Machin ou des Little Quelque chose. Ces gens-là manquent décidément beaucoup d'originalité quand vient le moment de choisir leurs noms d'artiste.

Le lit est défait. Il y a des feuilles de musique sur le couvre-pieds, des miettes de biscuit entre les draps, un verre de lait par terre. Pas moyen de se tromper: on se trouve dans la chambre de Steve.

Il ouvre la porte du placard, allonge les bras et rejoint deux objets qu'il pose sur sa table de travail: un cochon rose en plâtre et un marteau.

Au départ, Steve trouvait mon idée bébé. Puis, ça lui a plu. Je lui demande:

— Combien tu penses qu'on a ramassé?

— Aucune idée. Entre deux et trois cents piasses peut-être.

— Pas plus que ça?

— À coups d'une et de deux piasses, c'est long faire un magot.

— On prend une gageure, O.K.? Celui qui perd ajoute cinq piasses dans le pot.

— D'accord.

— Moi, je dis qu'on a accumulé trois cent quatre-vingt-deux dollars et douze cents.

— Tu es précis, Marc-André. Moi, je dis deux cent soixante-quinze.

— Bon. Passe-moi le marteau, Steve. Ça fait assez longtemps que j'en ai envie.

— Minute. On serait mieux de faire éclater le cochon sur une couverture. Sinon, il y aura des morceaux partout. Je ne pourrai plus marcher nu-pieds dans ma chambre.

Steve tire du placard une vieille couverture de laine. Nous l'étendons par terre et nous nous assoyons dessus.

— À toi l'honneur, me dit Steve. Mets-y tout ton cœur.

— Un, deux, trois, *GO*!

Je ferme les yeux et, d'un violent coup de marteau, je pulvérise le pauvre cochon. Le plâtre éclate et les pièces de monnaie roulent sur la couverture.

Nous séparons le paquet d'argent en deux tas à peu près égaux.

— Maintenant, on fait le compte, propose Steve.

Je déplie les billets et les classe en ordre, des plus grosses aux plus petites coupures. J'empile les pièces de monnaie à côté. J'ai l'impression que ça va faire des millions en bout de ligne.

— Quand je pense que ma mère fait ça à longueur de journée pour gagner sa croûte, fait Steve.

Je mouille mes doigts et je commence à compter les billets.

— Dix, quinze, vingt, vingt-deux...

— Compte donc dans ta tête! Tu me fais perdre le fil.

Je poursuis en silence.

Assis par terre, la mine déconfite, on regarde le tas d'argent devant nous. Je grogne:

— Deux cent soixante-deux piasses et quarante-cinq cents. C'est tout ce qu'on a pu ramasser?

— Correction, deux cent soixante-sept... Tu dois cinq piasses au pot!

— Ça va, ça va. Ne tourne pas le fer dans le porte-monnaie. Je sais que j'ai perdu.

Je croyais pourtant que nous avions accumulé beaucoup plus. Pendant une seconde, je soupçonne Steve d'avoir puisé dans nos réserves. Peut-être a-t-il été forcé de le faire pour que sa mère puisse payer le dernier mois de loyer? La dernière commande d'épicerie?

Je chasse cette pensée de mon esprit. Steve a bien des défauts, mais il est honnête. Il n'aurait jamais osé faire une chose semblable.

Je dis:

— On aurait dû se dénicher des emplois à pourboire aussi. C'est plus payant.

— Trop tard. Il va falloir se débrouiller avec ce qu'on a.

— Où veux-tu qu'on aille avec deux cent soixante-deux piasses? À Plattsburgh?

— Je ne sais pas, mais on va le découvrir bientôt. On va téléphoner au terminus d'autobus. Tout ce qu'il nous faut, c'est assez d'argent pour nous rendre au Kentucky. Une fois là-bas, on va s'arranger. On va faire plein d'argent, tu vas voir. Selon ma mère, la vie ne coûte pas cher là-bas.

— Qu'est-ce qu'elle en sait, ta mère? Elle y est déjà allée?

— Non, mais mon père lui a écrit.

— Quand est-ce? Récemment? Tu ne m'as pas dit l'autre jour qu'il n'avait pas donné de nouvelles depuis un bout de temps?

— Moi? Je ne t'ai jamais dit ça, O.K.? Tu inventes des histoires, dit-il en élevant la voix.

— Bon, bon, ça va, j'ai peut-être confondu.

— C'est ça, tu te trompes sûrement.

Inutile d'insister. Steve regarde les restes du cochon de plâtre. Il devient tout à coup absent. J'ai évoqué des souvenirs sans doute douloureux. J'essaie tant bien que mal de rétablir la communication.

— Qu'est-ce que tu disais, déjà?

— Hein?

— Tu disais que ça ne coûterait pas cher là-bas.

— Ah oui! Chez mon père, on va s'en mettre plein les poches, je t'assure. On sera logés, nourris. Tu pourras gagner assez d'argent pour te payer ta moto. On reviendra quand on sera riches...

— Comment?

— Hein?

— On va revenir comment?

— En avion, si on a les moyens.

— Pourquoi pas affréter un Concorde, un coup parti.

— Pourquoi pas, en effet? *The sky is the limit,* Marc-André. Le monde nous appartient. Il ne demande qu'à être cueilli comme un gros fruit mûr...

— Tu rêves en couleurs, Steve.

— Peut-être, mais toi, tu ne rêves même pas en noir et blanc. Tes rêves sont comme des négatifs. Comme des négatifs de photos ratées.

— Tu exagères, Steve. Et ça ne sera pas si facile que tu le penses. D'abord, es-tu vraiment sûr qu'on aura chacun un emploi là-bas?

— Puisque je te dis que mon père possède une supergrosse écurie dans le bout de Lexington, au Kentucky.

— Mais je ne connais absolument rien aux chevaux. Je ne saurais même pas différencier un étalon d'une vieille jument?

Mon copain me regarde d'un œil amusé. Je poursuis.

— O.K. Mettons que je saurais faire la différence. Mais es-tu vraiment certain, Steve, qu'on peut compter sur ton père?

— Absolument, *man*. Crois-moi sur parole.

Je ne rajoute rien. Je n'ai pas envie de jouer au rabat-joie. Mais comment diable peut-il être aussi convaincu de ce qu'il raconte sur son père? Le bonhomme les a abandonnés, après tout. Il envoie un peu d'argent de temps à autre. Pas beaucoup. Pourquoi, s'il est si riche? Steve, d'ordinaire si curieux, ne se pose pas vraiment de questions là-dessus. Il dit que les hommes d'affaires n'ont jamais beaucoup de fric disponible, que tout est toujours réinvesti, immobilisé dans l'entreprise... Que leur fortune n'est que sur papier. Il n'en veut pas à son père. Il a le pardon plutôt facile, il me semble. Comment je réagirais à sa place?

— Tu peux me faire confiance, Marc-André. Tout va se passer comme je te dis.

— Sinon?

— Sinon, tu auras au moins vécu une expérience différente. Quelque chose que tu pourras raconter à tes petits-enfants. C'est quand, la prochaine fois que tu feras un voyage comme celui-là? Tu crois vraiment que tu vas regretter le *Poulet Frit Kentucky*?

— Non! Ça, jamais!

— Alors? C'est quoi, le problème? C'est Roxanne?

— Nonon.

— Qu'est-ce qui t'arrête alors? Tu as peur de t'ennuyer de ta môman?

— Ne te moque pas de moi, Steve.

Dans quelle galère suis-je en train de m'embarquer? Le Kentucky, c'est l'inconnu. Je ne sais même pas où ça se trouve sur une carte géographique. Et si le père de Steve ne s'y trouvait pas? S'il avait disparu sans laisser d'adresse?

Par contre, supposons que Steve ait raison. Mettons que son père nous attend vraiment là-bas. Mettons qu'il soit à moitié riche comme Steve le dit. Mettons, mettons...

Le problème, c'est que je ne connais pas le père de Steve. Je sais qu'il était soigneur de l'équipe américaine d'athlétisme quand les Jeux olympiques ont eu lieu à Montréal, en 1976. C'est comme ça qu'il a rencontré la mère de Steve, à l'époque, une jolie hôtesse qui accueillait les délégations olympiques de partout à travers le monde.

Il paraît que ça a été le coup de foudre dès le moment où ils se sont vus. Après les Jeux, les Américains sont rentrés chez eux avec plein de médailles au cou. Leur soigneur, lui, est resté ici avec une belle

Québécoise pendue au sien. Une médaille d'amour...

L'histoire dit qu'ils se sont aimés très fort pendant un moment, qu'ils ont fait un enfant parce que la mère de Steve en voulait un absolument. C'est ainsi que Steve est venu au monde.

Puis les choses se sont gâtées. Le père de Steve avait de plus en plus souvent le mal du pays. Il détestait l'hiver et ne voulait pas apprendre le français. Alors, comme bien des hommes l'ont fait avant lui, il s'est taillé, comme on dit. Il a abandonné bonne femme et fiston. Il est retourné dans son Kentucky natal pour soigner des chevaux. Après tout, il avait déjà l'expérience avec les athlètes. Soigner des chevaux ou des athlètes: la différence est-elle si grande qu'on le croit?

Il n'est plus jamais revenu. Remarquez que la mère de Steve pense que c'était la meilleure décision à prendre dans l'intérêt du couple et du petit.

La présence masculine n'a pas nécessairement manqué à Steve. Sa mère n'a jamais eu beaucoup de problèmes à se dénicher des amoureux, des *chums,* des amants. Même avec un enfant sous la jupe, elle n'est jamais restée toute seule très longtemps. Steve a donc hérité de plusieurs pères. Des hommes qui lui ont appris l'essentiel: comment siffler avec un brin d'herbe, comment faire des ricochets sur l'eau avec des cailloux, comment pêcher la perchaude dans le lac Saint-Louis...

Moi, qui n'ai eu qu'un seul père, le vrai, je n'ai jamais tenu une canne à pêche entre mes mains.

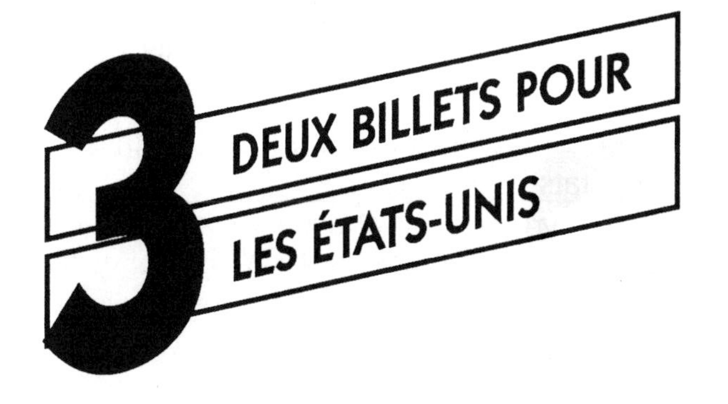

Nous passons à la cuisine.

La vaisselle des derniers jours déborde de l'évier. Il y a de la mie de pain sur le comptoir, un vieux fond de pétrole collé dans la cafetière.

Si elle entrait ici, ma mère subirait un véritable choc nerveux. Quand le soleil pénètre dans la cuisine chez nous, on peut voir de petites étoiles scintiller sur la porte du frigo ou sur les carreaux du parquet, comme dans les publicités de produits ménagers à la télé.

Pour moi, qui suis habitué à l'ordre et à la propreté (plus que la propreté, la désinfection, l'asepsie...), je trouve ici un grand dépaysement. J'imagine que c'est un peu comme de voyager à l'étranger.

Steve fouille dans une armoire. Sous une pile d'encarts publicitaires de pizzerias et de brochetteries grecques, il tombe enfin sur le bottin téléphonique qu'il me passe illico sous le nez.

— Cherche donc quelle compagnie va aux États-Unis? ordonne-t-il.

J'ouvre le bottin à la lettre «a» et je cherche le mot autobus. Je laisse glisser mon index sur les caractères d'imprimerie.

— Autobus Thomas, Giradin Autobus... Comment je peux savoir quelle compagnie se rend aux États-Unis?

— Commence par regarder sous la bonne rubrique, épais! Là, tu me donnes la liste des fabricants.

— Ah! Excuse...

— Essaye *Greyhound,* propose-t-il. Si c'est pas eux, ils vont nous diriger vers le bon endroit. Je téléphone ou tu le fais?

— Vas-y!

— Évidemment, soupire Steve.

Dans l'armoire, il trouve un bout de papier et un stylo. Il compose le numéro sur l'appareil à roulette. Encore une antiquité comme on en trouve seulement chez Steve.

— Allô? Bonjour madame. C'est bien les renseignements de la compagnie *Greyhound*? Très bien. Vous allez aux États-Unis, n'est-ce pas? Je veux dire, pas vous personnellement, mais votre compagnie? O.K... Ma question va peut-être vous étonner. Mon copain et moi, on veut savoir où on peut se rendre avec, mettons, cent cinquante dollars. Non! Pour les deux... Aux États-Unis, oui... Non, aller seulement. Où? Au Kentucky... Dans le bout de Lexington, si possible... Je pense que c'est dans le nord-est de l'État. Quand? Je ne sais pas trop... Ben, n'importe quand... Très bien, j'attends...

— Elle vérifie, murmure Steve.

Nous attendons en silence.

— Je déteste cette musique mélasse qu'ils nous font couler dans les oreilles pour nous faire patienter, dit-il en appuyant sa main sur le récepteur. C'est de l'anti-musique. Ça m'écorche les tympans.

— On aurait dû consulter une carte routière avant d'appeler. On aurait l'air moins sans-dessein. On saurait plus où l'on s'en va...

— Oui? Je suis toujours là, fait Steve en poursuivant sa conversation. Vous dites qu'on peut se rendre à Buffalo, New York?... C'est à mi-chemin... Pourquoi pas?... Combien? Soixante-dix-sept dollars par personne... Aller seulement. Oui... Est-ce qu'il y a des réductions pour les étudiants?

Pourquoi faire? Steve ne fréquente plus l'école.

— Ah bon... Il faut avoir moins de douze ans. Tant pis... Pouvez-vous réserver deux places pour mercredi prochain?... Au nom de Steve Russell... Non, ce sera payé comptant... Vous acceptez les petites coupures et les rouleaux de vingt-cinq cents?... Parfait. Merci beaucoup pour les renseignements, madame... Bonjour à vous aussi.

Steve raccroche et arbore un sourire triomphant.

Je le regarde, complètement abasourdi.

— Es-tu tombé sur la tête? Tu viens de réserver pour mercredi prochain sans me consulter. Tu es complètement cinglé. Tu vas trop vite. Je n'ai même pas encore le O.K. définitif de mes parents.

— Ça va te forcer à l'obtenir.

— Et s'ils refusent?

— On partira quand même.

— Misère! On voit bien que tu n'as pas de parents, toi. Tu es déconnecté de la vraie vie. Tu ne sais pas ce que c'est que de devoir tout négocier...

— Tu veux changer de place avec moi? dit Steve en me toisant.

Je me tais. Non, je ne changerais pas vraiment de place avec lui. Même si j'envie parfois sa liberté.

— On peut se rendre jusqu'à Buffalo, poursuit Steve.

— Qu'est-ce qu'on va faire là-bas?

— Je n'en sais rien. C'est une grosse ville américaine, avec une équipe de hockey et de football. Ça doit être un peu comme Montréal. En plus gros ou en plus petit, je ne sais pas. L'important, mon vieux, c'est que Buffalo se trouve sur le bon chemin pour se rendre à la ferme de mon père.

— Et comment on va faire ensuite pour aller au Kentucky? On n'aura quasiment plus une cenne.

Steve me montre son pouce.

— T'en as déjà fait? me demande-t-il.

— Une couple de fois pour rentrer à la maison après le travail, quand je n'avais pas envie d'attendre l'autobus.

— Tu vois! Enfin, une expérience pertinente!

— Mais aux États-Unis, c'est plus dangereux.

— Qu'est-ce que tu racontes là?

— Les gens possèdent tous des armes et il y a des meurtres à la tonne.

— Tu regardes trop la télévision, Marc-André. Beaucoup trop...

— Tu ne peux pas nier que c'est violent, les États-Unis?

— Ce que tu peux être moumoune quand tu veux. Je suis sûre que Roxanne a plus de couilles que toi...

— Woow! Attention à ce que tu dis...

— ... même que ça doit être elle qui mène dans votre couple, renchérit-il. Pas vrai?

— Va donc ch... J'aime mieux prévenir que guérir, c'est tout!

— Sacrement! tempête Steve. J'ai l'impression de parler à un p'tit vieux de l'âge d'or. Si c'est pour être ton attitude tout le long du voyage, j'aime autant y aller tout seul, au Kentucky. Au moins, j'aurai pas à jouer à la gardienne d'enfants.

Une étincelle de défi perce dans les yeux de Steve. Il commence à me pomper sérieusement, celui-là.

— C'est comme ça que tu vois notre voyage, Steve Russell! Très bien, môsieur. Je retire mon argent tout de suite. Redonne-moi ma part du magot.

— Si tu veux...

Steve quitte la cuisine d'un pas décidé en direction de sa chambre. Il renverse une chaise au passage. Puis, il s'arrête brusquement.

Un silence lourd s'installe entre nous. Il continue à me faire dos. Je ramasse lentement la chaise.

Steve se tourne vers moi. Je regarde ailleurs, en ayant le sentiment qu'il fait de même.

C'est lui qui entame les négociations de paix.

— Mes mots ont dépassé ma pensée, Marc-André. Tu as raison. Mieux vaut régler toutes ces questions maintenant plutôt que pendant le voyage.

— Si on a besoin de cent cinquante dollars pour se rendre à Buffalo, dis-je, il ne nous restera pas beaucoup d'argent pour manger et dormir ensuite. Comment est-ce qu'on va s'organiser? Où on va dormir?

— Je n'en sais rien, Marc-André. À l'Armée du Salut, au pis aller. À la belle étoile, s'il fait beau. On part à l'aventure, pas au Club Med! Ne l'oublie pas. On verra en temps et lieu. Je ne le sais pas plus que toi, ce qui va arriver. On se débrouillera, c'est tout. J'ai une vieille tente qui pourra toujours nous servir. Elle est un peu usée mais ça vaut mieux que rien comme abri. Tu demanderas à tes parents un peu d'argent de poche. Ta mère ne te refusera pas ça.

— Et toi?

— Moi, je ferai du temps supplémentaire à la commission scolaire. C'est la période du grand ménage d'été qui commence la semaine prochaine. Mon patron m'a déjà demandé de faire des travaux de peinture...

— Alors, je ferai moi aussi des heures supplémentaires au restaurant. Pas question de quémander de l'argent à mes parents.

— Là tu parles, Marc-André! Maintenant, je te reconnais!

Bon. Le vent est tombé. La tempête se calme. Nous voilà réconciliés. C'est toujours comme ça avec Steve. Nos chicanes sont intenses mais de très courte durée. J'aimerais pouvoir en dire autant de mes querelles avec Roxanne. Malheureusement, elles ont tendance à ne jamais vouloir finir, à prendre une éternité à se cicatriser. Quand Roxanne et moi nous nous disputons, ça ressemble toujours un peu à la guerre de Cent Ans...

Je demande à Steve:

— Qu'est-ce qu'on connaît au juste, du Kentucky? À part le poulet frit et les chevaux, je veux dire?

— Pas grand-chose. Je ne sais même pas où c'est exactement. Mais ma mère m'a raconté que les habitants du Kentucky passent pour être les *Newfies* des Américains.

— Il doit faire chaud en titi, là-bas, l'été.

— J'imagine que oui. On devrait se documenter un peu. Tu veux t'en occuper? Ils doivent avoir des livres là-dessus à la bibliothèque. Moi, je vais me charger du dépôt pour l'achat des billets. Ça te convient, comme arrangement?

— M...ouais.

— Tu me fais confiance au moins, pour l'argent?

— Bien sûr que oui. Je sais que tu es honnête.

Steve a-t-il lu dans mes pensées tout à l'heure au sujet de l'argent? Il est très observateur, mais quand même.

En route vers la bibliothèque, je fouille ma mémoire. Kentucky, Kentucky... Oui, ça me revient! Au *Monopoly,* c'était bien l'un des trois terrains rouges, avec l'Illinois et l'Indiana. C'est fou ce que l'on apprend des choses utiles avec les jeux de société...

Journée tranquille à la bibliothèque municipale. Quelques enfants par terre feuillettent des bandes dessinées. Il faut regarder où l'on marche pour éviter d'en écraser un. La bibliothécaire, une femme acariâtre qui préfère les livres aux humains, m'observe avec une moue de dédain.

Je consulte le fichier central. Kennedy, Kenogami... Kenya. Oups! J'ai passé tout droit. Je retourne quelques fiches plus tôt. Kentucky. Ça y est.

Fort peu de choses sous l'index des sujets. Un volume sur l'histoire du whisky au Kentucky et quelques statistiques économiques.

Je me rabats sur une bonne vieille encyclopédie. La photo des frères Kennedy se trouve sur la page opposée. Survolons rapidement l'article. J'annexe une carte de l'est des États-Unis pour que l'on puisse s'orienter un peu.

Laissons tomber la description orographique[2] des lieux, si ce n'est pour dire que les Appalaches traversent la partie est de l'État. Oui! les mêmes Appalaches avec lesquelles les profs de géo nous cassent les oreilles depuis le primaire.

Allons dans le vif du sujet. La population de l'État équivaut à un peu moins de la moitié de celle du Québec pour un territoire quinze fois plus petit. L'État, qui a pour capitale Frankfort, a célébré son bicentenaire en 1992. Qu'est-ce qu'on fait là-bas? Eh bien, on cultive du tabac, on élève des chevaux, des bovins et des mulets... J'espère au moins que le père de Steve ne possède pas une ferme de mulets. J'aurais un peu honte de m'en vanter au retour.

---

2. L'étude des montagnes. Dieu que je suis savant!

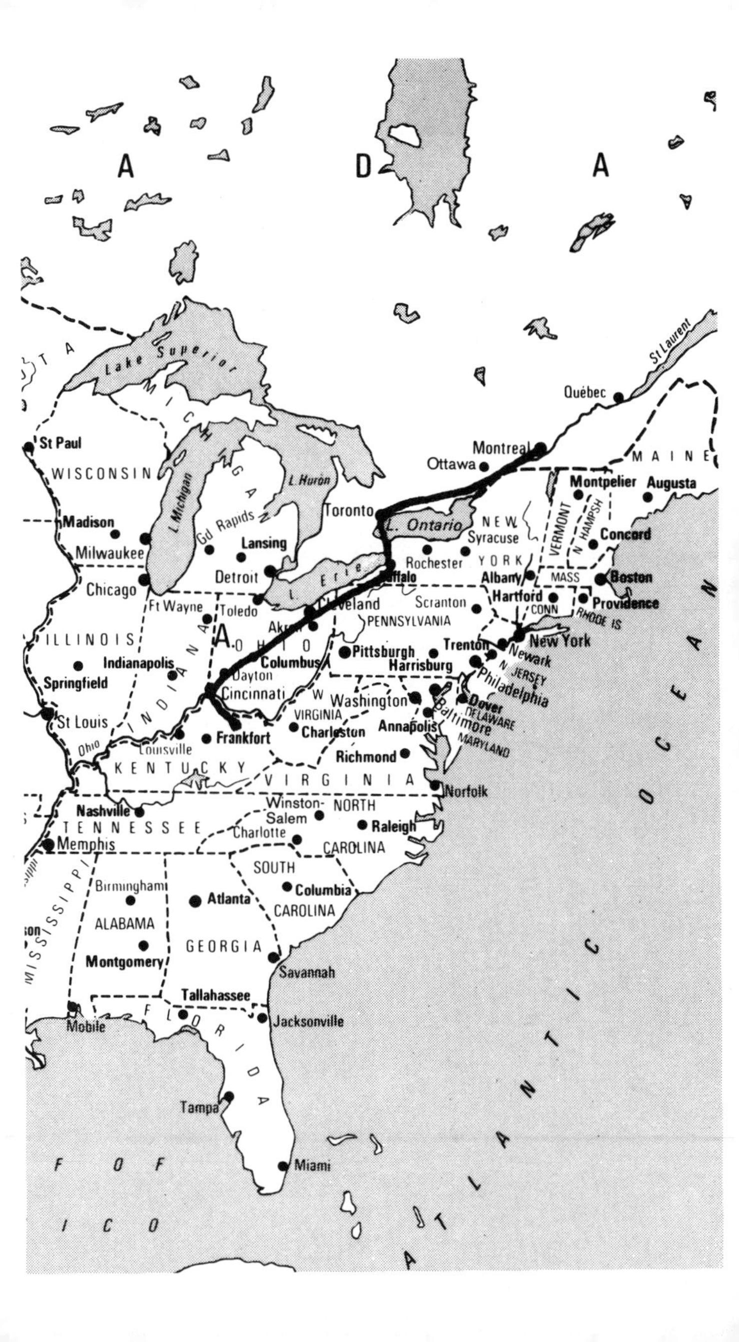
A
D
A
Lake Superior
MICHIGAN
L. Michigan
L. Huron
L. Ontario
L. Erie
St Laurent
Québec
Montreal
Ottawa
Toronto
MAINE
Montpelier
Augusta
VERMONT
N HAMPSH
Concord
NEW YORK
Syracuse
Rochester
Buffalo
Albany
MASS
Boston
Hartford
CONN
Providence
RHODE IS
New York
Newark
N JERSEY
Trenton
Philadelphia
Scranton
PENNSYLVANIA
Pittsburgh
Harrisburg
Washington
Baltimore
Dover
DELAWARE
Annapolis
MARYLAND
St Paul
WISCONSIN
Madison
Milwaukee
Chicago
Gd Rapids
Lansing
Detroit
Toledo
Ft Wayne
Cleveland
Akron
OHIO
Columbus
Dayton
Cincinnati
ILLINOIS
Indianapolis
INDIANA
Springfield
St Louis
Ohio
Louisville
Frankfort
KENTUCKY
W VIRGINIA
Charleston
Richmond
VIRGINIA
Norfolk
Nashville
TENNESSEE
Memphis
Winston-Salem
NORTH CAROLINA
Raleigh
Charlotte
SOUTH CAROLINA
Columbia
MISSISSIPPI
Birmingham
ALABAMA
Montgomery
Atlanta
GEORGIA
Savannah
Tallahassee
Jacksonville
FLORIDA
Mobile
Tampa
Miami
F O F
I C O
ATLANTIC OCEAN

Deux choses intéressantes. C'est au Kentucky que se trouve la réserve d'or de Fort Knox. Plus de dix milliards de dollars en lingots! Ensuite, c'est ici que la recette du bourbon, une version américaine du whisky, a été concoctée. De l'or et du bourbon, *Yes sir*! Beau voyage en perspective.

Je griffonne quelques notes pour faire mon rapport à Steve. Le reste, on le découvrira nous-mêmes sur place.

Tiens! Je me demande bien comment diable les Américains prononceront mon nom. Racine, ce n'est pas évident. Ça va sonner quelque chose comme Raw-seen. Je leur dirai de m'appeler Mark tout court.

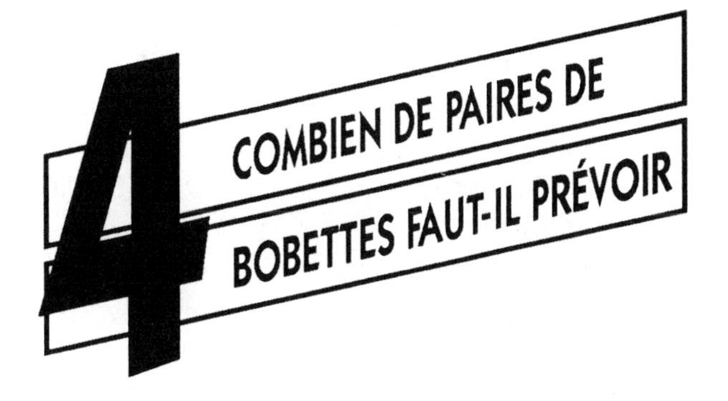

A-t-on besoin d'un passeport pour se rendre aux États-Unis? Peut-on changer ses dollars canadiens là-bas ou vaut-il mieux se munir ici de dollars américains? Combien faut-il amener de paires de bobettes et de bas pour un séjour de six semaines à l'étranger?

Voilà diverses questions auxquelles je n'ai pas de réponse. Je doute fortement que les guides de voyage puissent beaucoup m'aider. Ah, les guides! Tous pareils ceux que j'ai feuilletés. Ils décrivent en long et en large la physionomie du pays, énumèrent des dates et des faits historiques qui n'ont pas le moindre intérêt pour moi, dissertent sur l'architecture de la plus banale des églises, donnent les heures d'ouverture de tous les musées... Tout ça et même davantage, mais pas un traître mot sur l'essentiel: **combien de paires de bobettes?**

Je n'ose pas demander à Steve, de crainte qu'il se paye ma tête. À Roxanne non plus, histoire d'éviter de provoquer une nouvelle chicane entre elle et moi. À ma mère, alors? Hors de question. Elle ne sait toujours rien de mon départ. Dans le cas contraire, elle me ferait emporter le contenu de tout le tiroir du haut de ma commode, en plus d'un fer à repasser...

Non, mieux vaut me fier à mon instinct qui me dit de voyager avec le strict minimum.

Bah! Au pis aller, j'en achèterai là-bas, des bobettes. Qui sait si je n'en trouverai pas avec la tête du colonel Sanders imprimée dessus?

Au grenier, je déniche un vieux sac à dos en grosse toile verte. Le genre que l'on peut se procurer au magasin du *Surplus de l'Armée*. Il y a un drapeau du Canada brodé sur le dessus. Comme il commence à s'effilocher par endroits, je tire sur le brin de soie et le drapeau disparaît graduellement sous mes yeux. À la fin, plus de Canada! Il ne reste que l'empreinte de la feuille d'érable sur l'étoffe verte.

L'ombre d'un pays.

Plus ce voyage approche, plus j'ai le trac. Une chose est sûre: il est temps de l'annoncer officiellement à mes parents. Commençons par le plus facile: le paternel.

Mon plombier de père possède sa propre compagnie, *Gérald Racine et fils*. Et fils, oui. Prépare-t-il déjà sa succession? Peut-être bien. Mais le nom vient surtout de mon grand-père qui a fondé l'entreprise. Lui aussi s'appelait Gérald. Gérald senior.

Pour gagner sa vie, mon père débouche des lavabos et des toilettes, il nettoie des drains et des égouts. L'hiver, il dégèle de la tuyauterie, installe des chauffe-eau... Autrement dit, il s'occupe des entrailles des maisons. C'est son rayon.

Pour l'aider, il a engagé un apprenti, un gars qui a déjà fait de la prison pour une histoire de vol de voitures, qui s'appelle Gerry, et qui a choisi de se recycler dans la plomberie. Ainsi, il extorque légalement les gens maintenant. Je dis ça parce que je sais que ça fait enrager mon père quand on lui parle des sommes exorbitantes qu'exigent les plombiers pour jouer de la clé anglaise.

Signe particulier de Gerry, ses avant-bras sont couverts de tatouages. À telle enseigne que mon père lui demande de porter des chemises à manches longues pour ne pas effrayer la clientèle.

Je sais sur quel chantier mon père travaille ces jours-ci. Je décide d'aller le voir sur place. Ce n'est pas très loin, dans le vieux Lachine. Avec un peu de chance, il n'aura pas encore dîné et il m'invitera au restaurant.

La présence d'échafaudages me facilite la tâche et je repère sans difficulté le triplex où il travaille. Autre indice: sa camionnette est garée juste devant.

Un grand gaillard en bleu de travail dévale rapidement l'escalier en colimaçon de la maison. Ses cheveux sont couverts d'une fine poussière blanche. Il porte un crayon logé sur l'oreille, signe qu'il est probablement menuisier.

— Pardon, monsieur!

L'homme se tourne vers moi.

— Je cherche mon père: Gérald Racine.

— Le plombier?

— Oui.

— Alors, tu es Alexandre. Ton père nous parle souvent de toi.

— Euh, non... Moi, c'est Marc-André.

— Ah bon. Tu es aussi le fils de Gérald?

— Oui. Jusqu'à nouvel ordre en tous les cas.

— C'est bizarre, réfléchit à voix haute l'ouvrier. Il n'a jamais dit qu'il avait un second fils.

— Je suis le premier!

— Si tu cherches ton père, poursuit-il, tu le trouveras au deuxième étage. Mais je te préviens, il installe des tuyaux dans un vieux mur de plâtre. Il en arrache et il n'est pas tellement parlable.

— Quoi de neuf...

— Hein?

— Euh... rien. Je parlais tout seul.

— Ouais, ouais...

Le menuisier a entendu ma remarque. Son petit sourire narquois le trahit.

Comme ça, mon père fait comme si je n'existais pas! Il ne parle pas de moi à ses collègues de travail. Est-ce que je lui fais honte à ce point?

C'est la faute d'Alexandre aussi.

La saison dernière, Alexandre a remporté le championnat des pointeurs de la ligue de hockey de ville Lasalle, dans sa catégorie.

Il réussit bien à l'école. Des 90 % dans toutes les matières. Il rapporte à la maison plein de diplômes honorifiques que ma mère s'empresse de faire encadrer.

Il tond le gazon et aide ma mère aux travaux de jardinage.

Comment fait-il pour être à la fois chouchou de ses profs à l'école, chouchou de son entraîneur au hockey, chouchou de mes parents? Ça me dépasse. J'aimerais bien le détester, mais j'en suis incapable. Il s'arrange pour être gentil avec moi. Je n'arrive pas à lui souhaiter du malheur.

Je lève les yeux sur la maison. Du deuxième étage provient un bruit de marteau frappant avec régularité sur le métal. J'entends aussi deux personnes qui semblent s'exercer en vue d'un concours de jurons. Aucun doute. C'est bien mon père et Gerry qui fulminent contre la tuyauterie rebelle.

Qu'est-ce que je fais? Je vais le voir, oui ou non?

Mon père est de mauvais poil. Moi aussi. C'est égal.

Je monte au second étage. Dans l'appartement travaillent côte à côte un électricien, un plâtrier, mon père, Gerry, en plus du menuisier que je viens de croiser. Ils sont tassés. Par terre, sous la poussière et le bran de scie, traînent des outils, des morceaux de deux par quatre, des paquets de cigarettes, des canettes vides de boissons gazeuses. Il y a même une boîte de *Poulet Frit Kentucky* toute piétinée.

Personne ne me demande ce que je fais là. On entre dans ce logement comme dans un moulin. J'enjambe les outils pour me diriger vers la salle de bains.

En poussant la porte, j'ai bien failli écraser mon père... Il ne m'a pas vu lui non plus pour la bonne raison que la moitié supérieure de son corps[3] est dissimulée dans une grande brèche pratiquée sous le lavabo. La scène est cocasse et j'échange avec Gerry, assis sur le bord du bain, un sourire complice. D'une voix caverneuse, mon père demande un outil. Gerry le lui refile.

---

3. Supérieure au sens physiologique du terme. Je ne serais pas prêt à jurer que la tête de mon père vaille bien mieux que le reste...

Bing! Bang! Bing! Bang! BONG!

— Tabarnak de tuyau! Vas-tu rentrer, mon ciboire?

Gerry fait mine de se boucher les oreilles.

— T'as de la visite, dit Gerry dans un moment d'accalmie.

— Quoi? demande mon père.

— J'ai dit que t'avais de la visite.

Mon père sort péniblement la tête de la cavité.

— Qu'est-ce que tu fais ici, toi? demande-t-il sur le ton de quelqu'un qui ne semble vraiment pas ravi de me voir là.

— Je passais comme ça. Je suis venu te dire bonjour.

— T'aurais pas pu attendre à ce soir? poursuit-il platement.

— Maudit que t'es bête des fois, riposte Gerry.

Voilà un employé qui n'a pas exactement sa langue dans sa poche! Le pire, c'est que mon père apprécie son franc-parler.

— Bon, bon, j'ai compris, fait mon père en s'essuyant avec une guenille encore plus sale que ses mains. As-tu faim? demande-t-il.

— Un peu, oui.

— Je t'invite au casse-croûte alors.

— Juste toi et moi? que je demande en jetant un coup d'œil vers Gerry.

— J'ai mon lunch, fait ce dernier d'un air entendu.

Je manifeste ma reconnaissance à Gerry d'un léger signe de tête. Mon père n'a rien vu.

Bon. La première étape est franchie. J'espère que j'aurai le même succès avec la suite de l'opération.

Au casse-croûte, nous nous installons sur une banquette droite, peu confortable. Je regarde distraitement le menu, sachant d'avance ce que j'ai l'intention de manger.

Une serveuse maquillée avec exagération vient prendre notre commande. Elle est à peu près de l'âge de mon père, ce qui revient à dire qu'elle n'est plus jeune jeune. Elle porte des souliers en suède mauve à talons hauts et une mini-jupe très serrée qui moule un peu trop parfaitement sa croupe rebondie. Tout ce déguisement pour augmenter ses pourboires. J'espère au moins pour elle que ça marche.

Mon père choisit le spécial du jour: une soupe aux pois et du ragoût de boulettes. En plein mois de juillet. Fiou... Je plains ceux qui travailleront à ses côtés cet après-midi.

Moi, je commande un club sandwich, viande blanche.

— Tu vas revirer poulet, toi, si tu continues! plaisante mon père.

— Très drôle...

La serveuse prend note. Lorsqu'elle tourne les talons, mon père jette un coup d'œil sur ses jambes. Je me demandais bien de qui je pouvais bien tenir ce réflexe, cette manière que j'ai de reluquer les filles. Maintenant, je sais.

Mon père parle du chantier et des contrats qui vont s'accumuler cet été. Je le vois venir.

— Plutôt que de travailler au *Poulet Frit* cet été, tu serais bien mieux de faire équipe avec moi. Je te paierais comme il faut, tu sais. Mieux qu'au *Poulet*...

Mon père ne saisit pas que c'est important pour moi, l'autonomie. Ne pas dépendre de lui pour mon travail. Il ne peut pas se l'imaginer parce que, lui, il a passé toute sa vie à travailler avec son père. Je prends une bonne respiration et je lui annonce:

— Justement, je voulais te parler d'une idée que j'ai pour cet été...

Je suis interrompu par la serveuse qui dépose le bol de soupe sur le napperon de papier. Il déchire le sachet de biscuits soda qu'il émiette dans le liquide épais et jaunâtre. Puis, il commence à manger goulûment en faisant de gros *slurp slurp*. Ça enrage ma mère quand il fait ça à la maison. Je crois bien qu'il est trop vieux pour perdre cette mauvaise habitude. D'ailleurs, ma mère dit souvent que, les mauvaises habitudes, ça s'attrape n'importe où et n'importe quand, mais que ça ne se perd jamais...

— Tu avais commencé à dire quelque chose? gronde-t-il entre deux cuillerées.

— Oui. Voilà, je veux partir cet été.

— Hein?

— Je te dis que je vais partir cet été.

Je suis bien conscient de ne pas avoir dit les deux fois la même chose. Il s'en rend compte lui aussi.

— Partir? Pourquoi faire? T'es pas ben icitte? Tu manques de quelque chose?

— Non, mais j'ai envie de faire un voyage. C'est normal à mon âge, il me semble.

— À ton âge, moi je ne voyageais pas. J'aidais mon père, me reproche-t-il.

Il se tait avant de poursuivre.

— Où tu veux aller?

— Aux États-Unis.

— À quelle place, aux États?

— Au Kentucky.

— Au Kentucky? répète-t-il avec une moue d'incompréhension. Qu'est-ce que tu vas faire là?

— Je viens de te le dire. Je veux voyager, voir du pays, connaître des affaires nouvelles. Je veux apprendre l'anglais aussi...

— Tu peux le faire ici. Ta blonde est anglaise, non? T'as qu'à lui parler dans sa langue, c'est tout.

— Ce n'est pas si simple et tu le sais très bien...

— Pis avec quel argent tu irais là-bas?

— J'ai fait des économies, tu sauras.

— Ah oui? Eh ben, c'est nouveau ça. Es-tu sûr d'avoir assez d'argent pour te rendre à Sainte-Anne-de-Bellevue? demande-t-il, moqueur.

Vraiment comique, le bonhomme. Sainte-Anne-de-Bellevue se trouve à la pointe ouest de l'île de Montréal. Même pas à trente kilomètres de chez nous. Mon père essaie de se payer ma tête. Inutile de répondre. Il revient à la charge.

— Tu veux aller là-bas tout seul?

— Non.

— Avec qui d'abord?

— Avec Steve.

— Steve Russell?

— Oui. Il a de la parenté là-bas.

Ma phrase tombe comme une bille de plomb dans la soupe aux pois de mon père. Il continue de manger sans dire un mot.

Quelques instants plus tard, la serveuse apporte le club sandwich et le ragoût. Mon père semble si préoccupé qu'il ne se retourne même pas pour regarder ses jambes cette fois-ci.

— Je n'aime pas ton idée de partir avec ce Steve, finit par dire mon père dans une phrase prononcée sur le ton du jugement dernier. C'est un *drop out,* ce jeune-là. Sa mère n'est pas mieux. Ils ont très mauvaise influence sur toi d'ailleurs...

— Qu'est-ce que ça veut dire, «je n'aime pas ton idée!»?

— Ça veut dire ce que ça dit.

— Ça signifie que tu ne me laisseras pas partir?

— Comprend ça comme tu veux, mon garçon.

— *Shit!*

— Hey! Surveille ton langage, fiston.

Je mange mon club sandwich en vitesse, en regardant ailleurs. Sur la banquette voisine, une vieille femme met trop de sel dans sa soupe. Plus loin, un homme sucre beaucoup trop son café. Trop de sel, trop de sucre... Et moi, j'ai beaucoup trop d'un père devant moi!

La serveuse s'approche de nous.

— Tout est à votre goût?

— Oui, répond machinalement mon père.

— Même la *waitress*, hein? Mais dis-lui donc p'pa que tu la trouves de ton goût...

La serveuse rougit de plaisir; mon père, de honte. Ça lui apprendra aussi à regarder les autres femmes devant moi. Avant qu'il ait pu me reprocher mon insolence, je me lève de table.

— Merci pour le dîner. On devrait faire ça plus souvent. Incroyable comme ça peut nous rapprocher, toi et moi.

— Hey! Marc-André...

Trop tard.

Je suis déjà dehors. Je marche vite sur le trottoir. Au début, je me dis que c'est vraiment injuste que j'aie hérité d'un abruti pareil comme père. Ensuite, je me demande ce qui va se passer si je n'obtiens pas l'autorisation du bonhomme. Au bout de la rue, je me trouve devant l'alternative suivante: quitter la maison ou perdre l'estime de mon meilleur ami. J'ai encore six jours pour y penser.

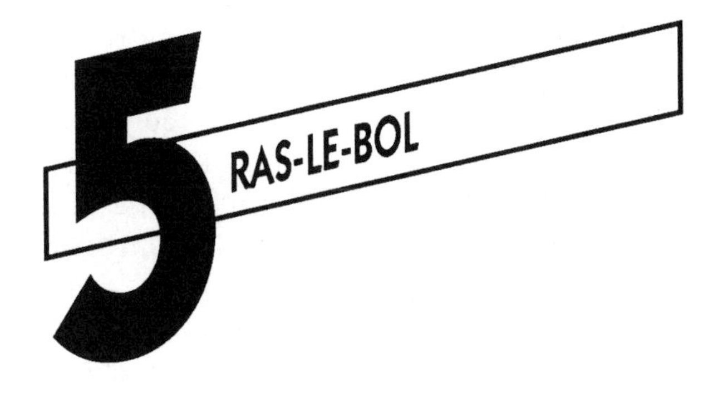

En face du *Poulet Frit Kentucky* du boulevard Lafleur, il y a un centre commercial avec une station d'essence, un salon de quilles, un magasin d'alimentation, un bar, un salon de coiffure, un sex shop...

Pour s'amuser, on a été voir l'autre jour ce qu'ils vendaient de bon au sex shop. Steve insistait pour que je fasse une blague à Roxanne. J'ai laissé tomber quand j'ai vu combien ils demandaient pour un pénis en caoutchouc. Le mien peut tout aussi bien faire l'affaire quand vient le temps de faire rire Roxanne...

J'arrive au *Poulet Frit Kentucky* ou chez *PFK*. À propos, vous savez pourquoi le nom a été changé? Pour enlever l'idée de friture dans la tête des gens. Car friture égale cholestérol, cholestérol égale artères bloquées, artères bloquées égalent crise cardiaque, crise cardiaque égale mort violente... La friture a mauvaise réputation. Elle fait fuir la clientèle. Les gens veulent tous mourir de vieillesse, sans douleur, dans leur lit. Les gens veulent s'endormir et ne plus jamais se réveiller. Ils sont moumounes, les gens...

La chaîne a changé de nom, soit, mais la nourriture, elle, demeure la même qu'avant. Toujours pareille. Pas une épice de modifiée à la recette si secrète gardée d'ailleurs comme un secret d'État. Il paraît qu'au siège social de la compagnie, on redoute beaucoup l'espionnage industriel.

Dehors, je constate que le baril lumineux géant est encore en panne. Le mécanisme se détraque tout le temps. Il suffit d'un coup de vent ou d'un orage pour que le colonel refuse de faire tourner sa bonne vieille tronche.

L'an dernier, pendant le carnaval du cégep André-Laurendeau, des élèves l'ont dérobé. Eh oui. Ils se sont servis d'un camion de pompier. Je ne connais pas tous les détails de la prise, mais vous auriez dû voir la tête de Face de Rat quand il s'est aperçu que le colonel avait perdu la sienne. Délirant. Il voulait porter plainte: on a réussi à l'en dissuader. Finalement, il a eu sa photo dans le journal avec les élèves qui avaient monté le coup. Ça s'est avéré une très bonne publicité pour le *PFK* du boulevard Lafleur.

Cet été, Face de Rat a fait installer des tables à pique-niques près du stationnement. Les clients peuvent donc s'asseoir et manger leur poulet en regardant passer les poids lourds sur le boulevard Lafleur. Distrayant, non? Certains aiment ça, il faut croire...

Sur l'une des tables, des goélands se disputent des restes de poulet. Très robustes, ces oiseaux. Beaucoup plus que les humains. Je m'interroge sérieusement sur leur système immunitaire. En connaissez-vous, des gens qui peuvent bouffer du *PFK* tous les jours? À part moi, ça s'entend?

En vérité, ces goélands causent beaucoup de soucis à Face de Rat. Pas tant les goélands que la merde qui vient avec pour être plus cru. Il faut être aux aguets et surveiller le ciel du coin de l'œil quand on nettoie les tables à pique-niques. Moi, par prudence, je ne sors plus sans ma casquette des Expos.

À force de s'empiffrer, certains goélands deviennent si gras qu'ils n'arrivent presque plus à voler. Avec leur tête minuscule et leurs corps ventrus, ils apparaissent disproportionnés, un peu comme certains obèses que l'on croise parfois dans la rue ou dans le métro et que l'on regarde avec un mélange de gêne et de curiosité.

Rien ne serait plus facile que de les attraper, les déplumer, les dépecer, les tremper dans la farine et la recette secrète, avant de les jeter dans l'huile bouillante... pour les offrir à notre bienheureuse clientèle. Je parie que personne ne verrait la différence. On recevrait même des félicitations parce que la viande serait plus fraîche que d'habitude!

Bon. Assez observé les abords du restaurant. J'entre et je vais directement me changer aux toilettes. Deux minutes plus tard, je suis au poste, derrière mes prestos.

Il faut commencer à travailler.

En sortant du frigo, c'est normal, le poulet est toujours un peu figé. On le fait dégeler dans une solution d'eau tiède et de lait pour que la panure adhère mieux ensuite. Puis, on débite le poulet. Neuf morceaux en tout: une poitrine, deux cuisses, deux pattes, deux côtes, deux ailes... alouette! Chez *PFK*, pas de perte.

L'étape suivante est la plus salissante, mais aussi la plus amusante. Il s'agit de mélanger la fameuse recette secrète[4] du colonel à un sac de farine et d'enduire les morceaux de poulet de cette panure. Quand Face de Rat n'est pas là et que l'on se sent un peu délinquants, on joue à la guerre en se lançant des poignées de farine par la tête. Mais ça fait un méchant gâchis à nettoyer après les hostilités.

Une fois le poulet préparé, il ne reste plus qu'à le faire cuire dans le panier à friture du gros presto d'aluminium rempli d'huile qui bout à gros bouillons. Comptez huit minutes. Servez avec frites molles, petit pain humide et salade de choux trop liquide. Un vrai régal!

— Pis, comment vont les amours?

---

4. Devinette: vous savez combien il faut d'épices pour préparer la recette du colonel? Je vous le donne en mille: onze. Les mauvaises langues prétendent que ça comprend dix sortes différentes de sel...

Tiens! Face de Rat qui prend de mes nouvelles. Inhabituel.

Je le rassure.

— Très bien et les vôtres?

— À mon âge, tu sais...

La rumeur veut pourtant que le bonhomme fasse régulièrement des avances à de jeunes employées. Pas des avances salariales, non, car Face de Rat n'est pas tellement porté sur la chose.

Ce sont peut-être des cancans mais le mot se passe, si bien qu'aussitôt embauchées, les filles s'inscrivent quasiment toutes à des cours de tae kwon do ou d'autodéfense. Résultat: la plupart des filles avec qui je travaille pourraient me planter aisément. J'ai intérêt à me tenir tranquille.

Je suis occupé à vider le contenu de la friteuse sur le réchaud lorsque l'on me demande à la caisse. C'est Viviane qui veut que je la remplace pendant sa pause. Face de Rat nettoie le carrelage à l'aide d'une vadrouille et me fait signe qu'il n'a pas d'objection.

Cela ne fait pas dix minutes que je suis installé à la caisse qu'une silhouette familière fait une entrée plutôt remarquée dans le restaurant.

Cette silhouette, c'est celle de Fanny Lavigne, mon ancienne flamme, en chair et en os. En os surtout puisqu'elle a perdu du poids. Pour être franc, je la trouve plutôt sexy aujourd'hui. Elle porte une robe à grands motifs géométriques. Une robe moulante qui montre bien qu'elle n'a pas maigri de partout. La nature a parfois du génie! Et elle n'a vraiment pas manqué d'inspiration lorsqu'est venu le moment d'inventer Fanny Lavigne.

À son cou, un pendentif en bois semble s'être réfugié entre ses deux seins bien ronds, merveilles de géométrie naturelle... Le pendentif a bien raison. Je ferais exactement la même chose à sa place.

— Salut, mon beau Marc-André! Comment tu vas?

Lorsqu'elle ouvre la bouche, je constate qu'elle s'est fait enlever ses broches. Elle affiche un beau sourire à angles parfaits.

— Bien et toi?

— Moi, super bien! Je pars en Californie la fin de semaine prochaine.

— En Californie? Wow! C'est drôle parce que moi...

Je m'arrête au milieu de ma phrase. Je ne tiens pas à ce que Fanny soit au courant de mes projets de voyage au Kentucky. Elle a une trop grande langue. Et j'en sais un bon bout là-dessus. Je préfère faire dévier la conversation.

— Tu y vas avec tes parents?

— Avec mes parents? T'es fou? J'y vais avec mon nouveau chum, voyons donc. Il étudie au cégep. D'ailleurs, on devrait s'arranger pour sortir tous les trois. Je suis sûre que tu l'aimerais. Il est si intelligent. Il connaît des tas de choses. Il n'arrête pas de m'apprendre des choses nouvelles...

Un peu plus et elle ajouterait que ça la change de l'illettré, de l'ignorant avec qui elle sortait auparavant!

— Eh bien! Tant mieux pour toi, Fanny... Je suis content que tu sois avec quelqu'un de bien. Tu as l'air en pleine forme. Tu as perdu du poids, non?

— Mets-en! Quinze livres. C'est pour me récompenser que j'ai décidé de me payer un petit *fast food*. Pour te voir aussi, bien entendu...

Je souris. Disons plus exactement que je fais le paon.

Un jeune client noir pénètre dans le restaurant. Il arbore une coupe de cheveux en forme de moule à gâteau. Il reluque Fanny.

Puis, il commande un repas économique dans un anglais que j'ai peine à saisir. Je traduis sa commande au microphone.

— Si tu ne m'avais pas laissé tomber, poursuit Fanny sur un ton de reproche, c'est peut-être avec toi que je partirais en Californie cet été...

— Ne ressasse pas des vieilles histoires, Fanny! Ça ne donne rien.

— Je disais ça comme ça... Mais tu as raison. Donne-moi un petit bec et je ne t'achale plus avec ça.

Elle me regarde et ses lèvres sont invitantes. Je ne me souviens plus ce qu'elles goûtent exactement. Mais elles sont charnues. Charnues et chaudes. J'en ai gardé un excellent souvenir. Malheureusement, la bouche de Roxanne est toute petite: une bouche de poupée. Et ses lèvres sont souvent sèches, ce qui l'oblige à les humecter de corps gras. Avec Roxanne, j'ai souvent l'impression d'embrasser un pot de vaseline!

J'observe Fanny.

Elle voit bien qu'il y a de l'envie dans mes yeux. Les filles savent toujours très précisément le charme qu'elles exercent sur les garçons. C'est un don qu'elles ont.

— Pas ici, Fanny. Pas devant les clients.

— Pourquoi pas? Envoye donc!

— Fanny! Je t'en prie!

— Juste un bec d'amis, Marc-André. Rien qu'un petit bec.

Alors, obéissant, je me penche au-dessus du comptoir.

Voilà que Fanny m'attrape par le cou et presse ses grosses lèvres contre les miennes. Sa langue lèche ma bouche goulûment, cherche à pénétrer à l'intérieur. Je lui refuse l'entrée. Mais je n'ai jamais été très doué pour la résistance. Si bien que je finis par laisser la langue de Fanny faire ce qu'elle veut. Je l'encourage même à poursuivre son bon travail en faisant glisser ma main sur sa hanche, puis sur sa croupe. Après ce baiser — sûrement le plus long de l'histoire du *PFK* du boulevard Lafleur —, j'ouvre enfin les yeux, la bouche encore collée contre celle de ma partenaire, lorsque j'aperçois le visage furieux de... Roxanne.

Merde! Une autre de ces visites à l'improviste!

Je repousse Fanny qui tombe à la renverse.

— Ouille!

Roxanne regarde Fanny, avant de tourner la tête dans ma direction. Ses lèvres tremblent.

— Mon tabarnak! dit-elle d'une voix étouffée par la rage.

— Laisse-moi t'expliquer, Roxanne. Ce n'est pas moi, c'est elle! dis-je en pointant Fanny sur le sol.

Roxanne est sur le point de me faire une crise. Je le sens.

Avec une agilité que je ne lui connais pas, elle saute par-dessus le comptoir...

— Mais Roxanne... Qu'est-ce que...?

...et elle me flanque un puissant coup de genou dans le bas du ventre.

— AHHHH... AYOYE... OUILLE...

Je plie en deux, le sang me monte à la tête, j'ai le souffle coupé. Je couvre de mes deux mains mes parties génitales. J'ai la sensation de ne plus avoir entre les jambes qu'une bouillie de couilles...

Aucun doute possible. Elle a voulu me neutraliser.

— Comme ça, Marc-André, tu ne pourras pas demander à cette salope de te faire des cochonneries derrière le comptoir. Tu ne seras plus capable de bander, espèce de p'tit con!

Heureusement qu'elle m'a un peu loupé. Mais je mime la souffrance totale pour éviter qu'elle ne soit tentée de récidiver. Évidemment, personne ne vient à mon secours. C'est le problème quand on joue les salauds. Très difficile de s'attirer la sympathie des gens.

Je relève la tête pour voir une Roxanne haineuse quitter le restaurant. Ensuite, c'est au tour d'une Fanny outrée de l'imiter en se frottant le postérieur. Voilà. Je pourrai bientôt écrire un traité sur l'art de se mettre les filles à dos.

— Décidément, tes amours vont très mal, lance Face de Rat. À ta place, je quitterais le pays avant que l'une d'elles décide de t'assassiner.

Fuir le pays! Face de Rat ne croit pas si bien dire.

Je m'essuie le visage avec une serviette de table à l'effigie du colonel Sanders. Je beurre par la même occasion le colonel du rouge à lèvres de Fanny dont elle m'a généreusement couvert la figure.

Je me masse doucement le bas du ventre.

Bon. Ça va. Je survivrai.

Le client noir de tout à l'heure me dit en souriant et toujours en anglais:

— Deux femmes pour un seul homme... C'est beaucoup trop, mon vieux. Tu ne veux pas partager tes problèmes avec moi, *man*?

Je lève les bras dans un geste de dépit.

Que faire à présent? Payer les pots cassés? M'excuser?

Non. Mieux vaut aller ailleurs, là où personne ne me connaît. Repartir à zéro, entamer une nouvelle vie, changer de peau et d'identité.

Le reste de l'après-midi se déroule normalement. Presque sans client non plus. C'est souvent ainsi que ça se passe au *PFK*. Il y a de gros trous dans la journée. J'en profite pour nettoyer les poêles et les planchers.

Vous savez ce que ça fait de la farine et de la vapeur d'huile sur le carrelage? Un mélange absolument casse-cou. Un cuistot s'est déjà rompu les os sur cette patinoire. Depuis cet incident, Face de Rat est tyrannique sur la propreté des lieux.

Après le travail, lorsque je rentre à la maison, je surprends ma mère endormie sur le divan. L'album de photos de famille traîne à ses pieds. Je l'ouvre. Les pages sont collées ensemble. Quasiment comme si elles étaient faites de velcro. Je change de pièce pour ne pas réveiller ma mère.

Au début de l'album, ce sont des photos noir et blanc d'aïeux que je ne connais pas. Les racines des Racine, je suppose.

On passe assez vite aux photos de ma mère et de mon père quand ils étaient jeunes.

Les plus anciennes sont aussi en noir et blanc. Mon père devant l'arbre de Noël tout fier d'avoir reçu un coffre à outils. Ma mère qui pleure dans sa couchette. La page d'après, mon père exhibe fièrement un trophée de hockey, ma mère est habillée en majorette... Tu parles qu'elle avait de sacrées belles jambes! J'ai tendance à oublier qu'elle a déjà été élue Miss Lachine dans le temps. C'est quand même quelque chose.

Je tourne la page pour tomber sur une photo de mon père devant sa première voiture. Avec ses favoris style Elvis. Les favoris! C'est bien la seule chose que mon père et Elvis pouvaient avoir en commun. Je parierais qu'il devait se trouver séduisant. Photo suivante: ma mère le jour où elle a reçu son diplôme d'infirmière. Même vêtue d'une toge ridicule, elle reste belle. Comment se fait-il qu'elle n'ait pu trouver mieux que mon père? Elle aurait dû se forcer, il me semble. Attendre, être plus exigeante. Mais, si elle avait trop attendu, je ne serais peut-être pas là.

Je tourne la page. Enfin! Ma mère en robe blanche, mon père en smoking. Vive les mariés! Autour du gâteau de noces, beaucoup de visages inconnus. Des gens que mes parents ne fréquentent plus depuis des années, ou encore des gens morts, comme le grand-père plombier par exemple. Des pages et des pages de photos de mariage, mais aucune du voyage de noces. Je connais la raison.

Ils étaient partis dans l'Ouest canadien en voiture, mais mon père avait oublié d'installer un film dans l'appareil-photo. Il paraît que ma mère a commencé à être malade dès l'Ontario: des nausées, des maux de tête...

Six mois plus tard, je venais au monde. Pas difficile de deviner quelle était la raison des malaises de maman. Bibi. En fait, c'est un peu de ma faute si mes parents n'ont pas eu la lune de miel souhaitée, rêvée.

Dans le temps, il paraît que c'était encore mal vu d'avoir des enfants sans être mariés. Ils se sont épousés pour étouffer l'affaire.

Les photos suivantes montrent des bébés. Moi très brièvement. Puis mon frère sous toutes ses coutures. Mon frère qui dort, mon frère que l'on change de couche, mon frère qui rit, mon frère qui pose un pied devant l'autre, mon frère qui fait caca dans son petit pot, mon frère qui souffle les bougies de ses gâteaux d'anniversaire.

Et moi dans tout ça?

Ça ne m'avait jamais frappé. Ce n'est pourtant pas la première fois que je feuillette cet album.

Je prends conscience aujourd'hui plus que jamais auparavant que je suis un véritable accident. Steve n'a pas eu de père, c'est vrai, mais au moins, il était désiré, lui! Dans le fond, je l'envie.

Je monte dans la chambre de mon frère Alexandre avec l'intention de lui dire ma façon de penser. J'ouvre la porte. Il n'est pas là. Dommage.

Lorsque je redescends, ma mère est réveillée. Elle frotte ses yeux.

— Tiens! Je ne t'ai pas entendu rentrer, dit-elle. Comment ça va?

— Mal!

— Mal?

— Oui, très mal même.

Les gens sont peu habitués à la vérité. Ma mère connaît par cœur toutes les rengaines et complaintes des malades. Des centaines de fois par jour, à l'hôpital, elle se les fait répéter. Ça l'étonne, je pense, d'entendre des mots semblables de la bouche de quelqu'un en parfaite santé. Pour elle, seul le corps peut aller mal. Pas l'esprit. Pas l'âme non plus.

— Tu étais plongée dans tes souvenirs de jeunesse..., dis-je en pointant l'album de famille.

— Euh... oui, un peu, répond-elle, gênée.

— Tu sais que tu étais drôlement belle à l'époque?

— Quoi? Tu trouves que je ne le suis plus? fait-elle en remettant de l'ordre dans ses cheveux...

— Ce n'est pas ce que je voulais dire...

La porte d'entrée s'ouvre et mon jeune frère vient bientôt nous rejoindre au salon.

— Bonjour, maman! Salut, Marc-André!

— Bonjour, mon chou, lance ma mère.

Mon chou! Pourquoi est-ce qu'elle l'appelle toujours mon chou, lui? Décidément, c'est une conspiration. Ils le font exprès. Mes parents veulent absolument me faire sentir de trop. Mais ils ne perdent rien pour attendre. La semaine prochaine, ils regretteront de ne pas m'avoir accordé toute l'attention que je méritais. Promis.

— Tu sens la friture, dit Alexandre.

— Toi, ferme-la!

— Voyons, Marc-André! Ne parle pas à ton frère sur ce ton.

— Ah! Personne ne me comprend dans cette maudite maison! J'en ai ras-le-bol de tous vous autres!

La porte claque. Il ne manquait plus que lui: mon père qui rentre du chantier. Incapable de faire une arrivée discrète, le bonhomme. Il laisse tomber bruyamment son coffre à outils dans le vestibule. Dans quelques secondes, il enlèvera ses grosses bottes de travail, ensuite il poussera un gros soupir en disant quelque chose comme «une autre de finie» ou encore «ah... si la fin de semaine peut donc arriver», etc. Alexandre ira le retrouver et ils se tirailleront comme ils le font quasiment tous les soirs.

Moi, ça fait très longtemps que je ne joue plus avec mon père.

À la vue du paternel, je repense à notre charmant dîner en tête à tête de ce midi. Je décide de changer d'air. La famille m'étouffe ce soir.

— Tu sors? demande mon père en fronçant les sourcils.

— Pourquoi pas? C'est interdit, ça aussi?

— Je n'ai rien dit, s'offusque mon père.

Ma mère interroge mon père du regard. Il hausse les épaules, comme chaque fois qu'il est dépassé par les événements, c'est-à-dire souvent!

Avec ce qui est arrivé cet après-midi à *La Villa du Poulet*, inutile de songer à l'idée de sortir avec Roxanne ce soir. Je n'ai pas envie de parler à Steve non plus. Je le verrai suffisamment au cours des prochaines semaines.

J'opte pour le cinéma.

Un film d'action avec des camions qui emboutissent des voitures, des hélicoptères qui prennent feu, des gratte-ciel que l'on fait sauter à la dynamite, des humains qui fraternisent à coups de pics à glace et qui s'arrachent à qui mieux mieux les organes vitaux dans un océan d'hémoglobine... Bref, tout ce qu'il y a de reposant!

En fin de compte, la violence au cinéma ne m'indispose presque plus. Je suis blindé. Impassible. Ce qui me trouble bien davantage, c'est de voir quelqu'un se cogner le tibia contre un meuble ou se coincer les doigts dans une porte. Voilà des choses qui font vraiment mal!

Signe que le long métrage ne remplit pas sa mission de divertissement, pendant le film, je n'arrête pas de ressasser mes problèmes. Je me repasse le film de ma querelle avec mon père, j'essaie de me rappeler les mots exacts utilisés. Je constate que j'ai encore mal aux couilles. Que j'ai faim aussi.

J'y pense. Il ne faudra pas que j'oublie d'annoncer ma démission à Face de Rat. J'inventerai une histoire qui a du bon sens, si je veux garder mon boulot pendant l'année scolaire, en revenant du Kentucky.

6 «CHERS PARENTS»

Voilà. La dernière semaine s'est doucement écoulée comme si de rien n'était. Pourtant, ça brassait dans mon for intérieur.

Nous sommes maintenant le jour J. Steve et sa mère vont passer me prendre au parc dans une trentaine de minutes. J'ai dit à Steve que mes parents m'avaient finalement donné leur autorisation. J'ai menti. Je n'ai pas adressé la parole à mon père depuis l'anecdote du casse-croûte. Nous sommes en froid, lui et moi.

Ce matin, je me suis levé tôt, quasiment en même temps que le soleil. J'ai mal dormi cette nuit, à cause de la nervosité, je suppose. Si près du but, je dois éviter les gaffes. Pas de douche donc de crainte d'alerter toute la maisonnée. Je me rendrai aux États-Unis crotté. Les chevaux ne sentiront pas la différence. En guise de déjeuner, j'engouffre une danoise, au sens pâtissier du terme, bien entendu.

Je pense avoir tout prévu. J'ai dit à Face de Rat que je partais en voyage avec ma famille dans l'Ouest canadien. J'ai écrit un mot à Roxanne pour lui dire que je l'aime. Ça me déçoit de la quitter en mauvais termes. Je ramasse en douce mes dernières affaires: brosse à dents, savon, shampoing, antisudorifique, dictionnaire anglais-français. Ça pourra toujours servir. Je n'oublie surtout pas l'essentiel: mes dollars américains. J'apporte aussi ma carte d'assurance-maladie. Mieux vaut prévenir...

Sapristi! Je n'ai plus de place dans mon sac à dos pour une seconde paire de godasses. Tant pis, je les attache à l'une des courroies du sac. Je descends sur la pointe des pieds. Les planchers craquent plus que d'habitude, il me semble.

Je passe devant la chambre d'Alexandre dont la porte est entrouverte. Mon jeune frère se tourne dans son lit, émet quelques grognements. Je ferme délicatement la porte.

À leur réveil, mes parents ne s'inquiéteront pas tout de suite. Ils croiront que je suis allé faire une balade à bicyclette. Ça m'arrive souvent le samedi matin et je ne les avertis jamais. Il s'agit de ne pas laisser d'indices compromettants derrière moi.

Mais j'ai pitié d'eux et je leur écris un mot:

Chers parents,

Au moment où vous lirez cette lettre, je serai déjà aux États-Unis. Maman, tu n'es pas au courant mais papa le sait, lui. Il n'a pas voulu m'écouter, alors j'ai décidé de partir quand même. Steve est avec moi. Inutile de mettre la police à nos trousses: ils ne nous retrouveraient jamais. Ne vous inquiétez pas, surtout toi maman, je suis plus débrouillard que vous le pensez. Ce n'est pas vraiment une fugue. Je pars à l'aventure, c'est différent.

J'ai ramassé assez d'argent et je ne devrais manquer de rien. Je vous appellerai, à frais virés, quand je serai rendu là-bas. Bon été.

Marc-André

P.-S. Je vous aime quand même.

Maintenant, où laisser ce mot? Sur la table de cuisine? Non. Ils le liront trop vite. S'ils découvrent le pot aux roses rapidement, j'aurai la Sûreté du Québec aux fesses avant même d'avoir pu franchir la frontière ontarienne.

L'avantage que j'ai sur eux, c'est qu'ils ne savent pas quelle route je vais prendre, ni par quel moyen de transport je quitte le pays.

La meilleure idée qui me vient à l'esprit, c'est de laisser la lettre sur le pupitre de ma chambre. Ma mère ne pourra pas résister à la tentation de venir ranger mes affaires pendant la journée. Elle est comme ça. Avec un peu de chance, je serai déjà rendu hors de portée, en Ontario peut-être, en route vers Buffalo.

En franchissant le seuil de la porte d'entrée, je constate que mon père a laissé traîner son portefeuille sur le guéridon. Parce qu'il paye Gerry comptant — sous la table, autrement dit —, mon père a souvent un gros paquet d'argent sur lui. Son portefeuille est tellement plein qu'il a plus la forme d'une boulette de cuir que d'une galette. Je ne résiste pas à la tentation de fouiner.

Wow! Il doit bien avoir cinq ou six cents dollars en coupures de dix, de vingt, de cinquante. Même un billet de cent. Un gros brun. Décidément, c'est très payant, la plomberie.

Je lutte quelques secondes contre ma conscience. Elle n'est pas de taille. J'ai vite le dessus sur elle. D'une certaine façon, m'emparer de quelques billets maintenant, c'est un peu comme réclamer une avance sur mon argent de poche de l'automne prochain. Ce n'est pas du vol, c'est un emprunt! Ne pas confondre les deux. Mais il vaudrait mieux que j'en parle dans ma lettre quand même. Ah! Et puis je n'ai pas envie de monter à nouveau dans ma chambre. Je fourre l'argent dans mes poches. Je suis désormais plus riche de cent cinquante dollars.

Une fois dehors, je marche jusqu'au fleuve, plus précisément jusqu'au parc où Steve m'a donné rendez-vous. Une douce brume flotte sur le Saint-Laurent et l'herbe du parc est encore couverte de fine rosée. Au loin se dresse la vieille carcasse du pont Mercier. De rares véhicules y circulent. Normal, on est samedi matin de bonne heure. Cet été, des ouvriers, probablement des Amérindiens puisque c'est l'une de leurs spécialités, s'affairent à repeindre les poutrelles du pont, depuis longtemps couvertes d'une épaisse couche de vert-de-gris. Mais, pour l'instant, tout est calme. Les ouvriers dorment dans leurs réserves, de l'autre côté du pont.

Pendant quelques secondes, j'ai la chienne et je n'ai plus envie de partir. Puis, la tête de Face de Rat me revient. Je repense à mon père. Je vérifie si l'argent se trouve toujours dans mes poches. Il y est. L'idée du voyage recommence à me plaire.

Je lève les yeux vers le ciel. Deux ou trois goélands rôdent autour de moi.

— Allez-vous-en, maudits oiseaux...

Peut-être sont-ils simplement venus me saluer? Ils reconnaissent sans doute en moi le valeureux employé du *PFK* qui leur donne si souvent à manger...

J'observe les remous sur le fleuve lorsque j'entends klaxonner derrière moi. Je récupère mon sac à dos et je m'apprête à monter dans la voiture de la mère de Steve.

Minute! Mais ce n'est pas la mère de Steve. C'est Gerry, l'employé de mon père, au volant de sa camionnette.

— Qu'est-ce que tu fais ici de si bonne heure?

— Euh... Rien. Je ne dormais plus. J'avais envie d'une promenade. Je suis venu contempler le fleuve...

— Avec ton sac à dos?

— Euh... Un ami m'a demandé de le lui prêter.

— Il a l'air plein, ton sac, non?

— Il lui manquait quelques petits objets de camping. Une gamelle, un sac de couchage, d'autres bébelles du genre...

Gerry désigne la paire de souliers qui pend à mon sac.

— Tu lui prêtes tes *running shoes* aussi?

— Nous chaussons la même pointure, lui et moi?

— Ah! C'est commode, ça?

— Oui, très commode.

Gerry retire sa casquette et se gratte la tête. Visiblement, il ne croit pas un traître mot de mon histoire. Cet interrogatoire m'essouffle. Gerry va-t-il me dénoncer? Si près du but, ce serait trop plate...

— Tu veux que je te dépose quelque part après...

— Je te remercie, Gerry, je vais rentrer à pied.

— Bon. Tout est correct alors?

— Absolument, Gerry. À la prochaine.

Il saisit le message, n'insiste pas, fait démarrer sa camionnette et quitte les lieux en faisant crisser ses pneus.

Ouf! J'ai eu chaud.

Le plus triste, c'est que Gerry verra peut-être sa paye amputée de cent cinquante dollars à cause de mon emprunt. J'ai subitement des remords.

Quelques minutes plus tard, la voiture de la mère de Steve, une vieille bagnole américaine, s'immobilise devant moi. J'ouvre la portière arrière pour m'installer. Un étui de guitare me barre le chemin.

— Tu n'amènes pas Lucienne pour de vrai?

— Ce n'est pas Lucienne, dit Steve, insulté, c'est ma guitare acoustique. Je ne me sépare jamais d'elle. C'est comme une amoureuse, tu sauras.

— Et moi? Je laisse bien Roxanne ici.

— Mon amoureuse se laisse plus facilement accorder, ironise-t-il. Il suffit d'avoir un peu d'oreille. De l'oreille et du doigté.

Piquée, la mère de Steve donne un coup de coude dans les côtes de son fils.

— Qu'est-ce que j'ai fait pour hériter d'un fils aussi macho? Pauvres filles de votre âge... Elles sont bien à plaindre.

Sur le siège arrière, il y a aussi un sac de plastique en forme de cylindre. Il contient probablement la tente qui nous abritera, en cas de besoin. Je pousse mon sac à dos sur le siège et je parviens à me faire une petite place. Je ferme la portière et nous quittons le parc.

— Tes parents ont fini par te donner leur O.K.? demande la mère de Steve en me regardant dans le rétroviseur.

— Ils n'ont pas eu le choix, répond Steve à ma place. C'était ça ou Marc-André partait quand même.

Steve ne croit pas si bien dire.

Avant que j'aie pu rajouter quoi que ce soit, il allume la radio et nous filons en direction du terminus d'autobus au son d'une musique country.

Devant l'autobus *Greyhound*, les adieux entre Steve et sa mère sont expéditifs. Elle lui confie une lettre à remettre à Jimmy Russell, le père de Steve. Des becs sur les joues, une brève accolade et c'est terminé.

— Tu as l'adresse? demande-t-elle.

Steve fait signe que oui.

La mère de Steve m'embrasse aussi.

— Bonne chance, les gars. Profitez-en et amusez vous bien.

C'est tout?

Il me semble qu'avec ma mère, la séparation aurait été plus longue. Elle m'aurait énuméré une longue liste de recommandations. Des fois, j'envie vraiment les parents des autres. Je trouve qu'ils n'ont jamais les défauts des miens.

Nous glissons nos bagages dans la soute de l'autobus et faisons poinçonner nos billets.

En voiture...

L'autobus est déjà rempli et les deux seuls sièges libres se trouvent près des toilettes.

J'appuie ma tête sur le dossier, je ferme les yeux, je ne pense plus à rien. Ni aux parents, ni à Roxanne... L'autobus quitte le terminus. «Merci de voyager avec Greyhound. *Thank you for travelling with Greyhound...*», débite un message enregistré.

— *Let's hit the road!* lance Steve.

— Oui, c'est ça. Frappons la route!

Ai-je pensé apporter mon dictionnaire anglais-français? J'espère que oui. Je vérifie de nouveau si j'ai toujours l'argent dans mes poches. Oui, il est là. Même l'argent emprunté à papa. Il faudra que je songe, par mesure de prudence, à répartir mon magot dans différents endroits des bagages.

Tout est sous contrôle. Je me décontracte, je me décongestionne l'esprit, je me prépare à la conquête tranquille du continent...

À partir du centre-ville, il faut mettre quarante bonnes minutes avant de sortir de l'île de Montréal. Nous traversons une succession de banlieues avec le même air de famille. Un air un peu hébété de villes nées de mariages consanguins.

Dans l'autobus, les gens ne portent guère attention au spectacle qui défile dehors. Ils lisent, d'autres dorment avec leur *walkman* sur les oreilles, la tête parfois involontairement posée sur l'épaule d'un voisin qu'ils ne connaissent probablement ni d'Ève, ni d'Adam.

Un bébé pleure. Quelques secondes plus tard, le même bébé gazouille pendant que son papa lui fait des guili-guili. Touchant.

Puis, la mère de l'enfant se rend aux toilettes. J'imagine que c'est pour changer sa couche. Je ne me trompe pas. Pouah! Ça pue jusqu'ici!

Tiens, nous voilà déjà en Ontario. Je me dis que c'est un drôle de hasard. Je trouve ça étrange que le bébé ait justement choisi ce moment pour...

Afin de rattraper le sommeil perdu la nuit dernière, je m'assoupis. Je ne manque pas grand-chose. Sur l'autoroute, rien ne ressemble plus à un kilomètre qu'un autre kilomètre. Et la 401 est réputée pour être une autoroute hyperennuyante.

Au réveil, c'est-à-dire à peine quelques minutes plus tard, j'ai la bouche toute pâteuse. J'ai bavé sur le col de mon tee-shirt. Comme un bébé.

Une très vieille dame assise de biais avec moi me regarde tendrement. Est-ce qu'on se connaît? Je jure que non. Elle me sourit de sa bouche édentée. Je n'embrasserais pas cette vieille-là pour moins d'un million. En dollars américains s'il vous plaît.

Le temps passe si lentement en autobus que le moindre événement devient vite fascinant. Jugez par vous-même.

Dans la rangée d'à côté, une jeune fille plutôt coquette est assise à côté d'un homme. Au début, ils lisent tous les deux. Puis, ils revue. Tiens, tiens! ça commence à l'intéresser...

Ça n'ira pas plus loin, n'en demandez pas trop, quand même! L'autobus est bondé, ne l'oublions pas.

La fille descend finalement à Kingston, où un homme l'attend au terminus. Dès qu'elle le voit, elle se jette dans ses bras et leurs débordements sentimentaux terminés, le cocu se penche pour récupérer les bagages de la fille. Elle profite de ce moment d'inattention pour envoyer des baisers à son autre amant, celui de l'autobus. *Heavy*, non?

Steve rit de bon cœur. Moi, je suis un peu découragé des filles et de la vie.

Je fouille dans mon portefeuille pour trouver la photo de Roxanne. Je traîne toujours sur moi sa carte d'identité de la poly.

— J'espère que tu ne me feras jamais ça, hein Roxanne?

En prononçant ces paroles, je me rends compte que j'ai presque agi de la même façon la semaine dernière au *PFK*.

Bah! Avec Fanny, ce n'était pas pareil. C'est elle qui a pris les devants, qui m'a sauté u cou. Je ne pouvais quand même pas envoyer au diable... Je devais faire preuve e civilité, quoi!

s'aperçoivent qu'ils sont plongés dan
même roman. Ils échangent leurs comm
taires et ils en pensent la même chose. J
comprends pas tout ce qu'ils se disent, n
la fille éclate de rire de temps à autre et le
la regarde avec des yeux engageants.

D'un léger coup de coude, j'attire l
tention de Steve sur la scène. Il hausse
épaules et continue de feuilleter nonchal
ment son magazine de musique.

À Cornwall, ils rangent leurs liv
Quelques kilomètres plus tard, le gars
caresse déjà la nuque tandis qu'elle lui ma
gentiment l'intérieur de la cuisse.

Tout ça en une heure. Cent kilomètre
me semble que, pour séduire Roxanne, il n
fallu cinq ans. Cinq ans ou 60 000 kilo
tres...

Je trouve qu'ils sont plutôt vites en
res pour des Canadiens anglais. Ces ge
n'ont-ils pas la réputation d'être froi
amour?

Rendus à Brockville, en Ontario,
et la fille commencent à s'embrasser
peloter. Il soulève le petit accoudoir
sépare. Bien sûr, ce n'est pas du gr
mais c'est assez osé, vu les circonsta
gars passe ensuite sa main sous la j
fille qui déboutonne la chemise de
tenaire... Ça se corse. Steve lève le

Accident sur la 401. Trois voitures embouties. Éclats de verre sur la chaussée. Policiers et ambulanciers sur place. La circulation est ralentie, puis elle reprend son cours, mais graduellement, car l'image de l'accident est encore trop fraîche à l'esprit des automobilistes. Il faudra plusieurs kilomètres avant que les conducteurs l'oublient et cessent d'être aussi prudents. Les gens sont ainsi faits.

Un peu avant Toronto, on annonce une ville qui s'appelle Ajax, sans doute la bourgade la plus proprette de l'Ontario.

Puis, enfin, Toronto où l'autobus se vide.

Il est deux heures de l'après-midi. Voilà six heures que nous avons quitté Montréal. Peut-être les six heures les plus inconfortables de ma vie.

Ma vieille voisine édentée descend elle aussi à Toronto. Elle avance péniblement en s'appuyant sur le dessus des fauteuils. À ma hauteur, elle pose sa main toute ridée sur mon épaule et me raconte des choses que je ne saisis pas vraiment, en me regardant par-dessus ses lunettes. Elle parle anglais avec un drôle d'accent. On dirait un mélange d'italien, d'anglais, d'ail et de mozzarella.

D'après son ton, j'imagine qu'elle me prodigue des conseils pour le reste du voyage. Je ne vois pas ce que ça pourrait être d'autre. Steve non plus ne saisit pas ce qu'elle veut. Bof... Je lui rends son sourire et je serre avec précaution sa main sèche et rachitique.

Nous quittons l'autobus, histoire de délier nos muscles ankylosés. J'en ai grand besoin. Je me sens comme si j'avais l'âge de la vieille.

Nous mangeons avec appétit des beignes dans un *coffee shop*.

— Savais-tu, articule péniblement Steve la bouche pleine, que Toronto est la capitale mondiale des beignes?

— Il faut bien que ce soit la capitale de quelque chose...

Sans être très équilibré, ce repas est tout de même excellent pour le budget.

Tout en bouffant, j'observe les affiches de voyage sur les murs de l'établissement.

Il me vient une idée.

— Est-ce qu'on va arrêter à Niagara Falls en passant? dis-je en pointant l'une des affiches publicitaires.

— Pourquoi faire?

— Ben, c'est sur le chemin. On pourrait aller voir les chutes.

— C'est une place de quétaines, Niagara Falls... Pour les nouveaux mariés et les Japonais. On aurait l'air de quoi, nous autres, là-bas? De deux tapettes?

Je boude un moment avant de revenir à la charge:

— Moi en tout cas, je trouve ça beau, des chutes.

— Bon. On arrêtera peut-être au retour, concède Steve.

— On est pas censés revenir en avion, les poches pleines d'argent?

Steve ne répond pas.

Je me sens comme lorsque je voyageais avec mes parents. Ils promettaient toujours de faire plein de choses. En fin de compte, mon père était fatigué de conduire, ma mère avait mal au cœur, mon jeune frère avait hâte de rentrer. On finissait par ne rien faire du tout. Ça m'enrageait.

Cette pensée assombrit mon humeur. J'espère que le même scénario ne se répétera pas au cours de ce voyage. En attendant, je me renfrogne, je ronge mon frein.

Pendant que Steve est aux toilettes, ma vieille voisine édentée vient une nouvelle fois me faire la conversation. Elle recommence à monologuer dans sa langue étrange, incompréhensible, hochant la tête plusieurs fois et serrant très fort ma main dans la sienne.

Mais qu'est-ce qu'elle me veut, celle-là? Est-ce une vieille folle? Une diseuse de bonne aventure? Un oiseau de malheur?

— *I don't understand what...*

Elle me fait signe de me taire. Puis, elle tire de son cabas un colis de la taille d'une boîte de chaussures, emballé dans du papier de Noël, qu'elle dépose avec soin sur mes genoux. Je fais le geste de le refuser, j'essaie de le lui remettre.

— Non, non, vous ne devriez pas...

Pas moyen de lui faire entendre raison. Elle me glisse un billet de vingt dollars dans la poche de ma chemise. Elle exécute ensuite quelques bizarres révérences, avant de quitter l'endroit en claudiquant.

De retour des toilettes, Steve me demande des explications.

— Qu'est-ce que c'est que ça? fait-il en désignant le colis sur mes genoux.

— Ça? Ben, c'est un cadeau. C'est la vieille dame de l'autobus qui...

Je lui raconte ce qui vient de se passer.

— Tu n'aurais jamais dû accepter ce paquet! À quoi tu as pensé, Marc-André?

— Puisque je te répète qu'elle ne m'a pas laissé le choix...

— Donne-le-moi, ordonne-t-il en tirant vers lui la boîte à chaussures. La vieille ne doit pas être bien loin. Je vais essayer de la rattraper.

Je presse le colis contre moi, ripostant sur le même ton.

— Hors de question! La vieille me l'a confié. C'est moi qui le garde. C'est moi qui décide...

— Mais on ne sait pas ce qu'il y a là-dedans, Marc-André. C'est peut-être de la drogue ou même une bombe?

J'approche la boîte de mes oreilles.

— Si tu veux mon avis, la vieille m'avait l'air plutôt inoffensive. Elle ne ressemblait vraiment pas à une trafiquante de drogue...

— Rappelle-toi pourtant l'histoire des deux nonnes arrêtées en Italie pour trafic de stupéfiants...

Je l'interromps avant qu'il ne puisse compléter sa phrase.

— La vieille n'a rien non plus d'une terroriste. D'ailleurs, ce cadeau ne contient probablement pas grand-chose.

Je le soupèse, je le remue, je l'approche de mes oreilles. Pas de tic-tac dangereux. Je le tourne dans tous les sens...

— Regarde! dis-je en pointant une minuscule inscription dans un coin du paquet. Une adresse!

J'examine plus attentivement le texte. Il s'agit en effet d'une adresse en Ohio.

— On devrait remettre le cadeau à la police, propose Steve. Ils vont l'acheminer à bon port.

Cette idée ne me plaît pas du tout. Je songe à mes parents qui ont peut-être déjà mis les flics à mes trousses à l'heure qu'il est...

— Écoute, Steve. La bonne femme m'a déjà donné vingt piasses. C'est peut-être rien qu'un acompte. Qui sait s'il n'y aura pas beaucoup plus d'argent pour amener le colis à destination?

— Une récompense?

— C'est déjà arrivé que des vieux riches laissent leurs millions à de purs étrangers, croisés comme ça par hasard, dans un train ou un autobus...

Je viens de faire vibrer une corde sensible chez Steve. Ses pupilles s'illuminent. Touché! Puis, il se raisonne.

— Tu avoueras Marc-André que les chances sont bien minces.

— Elles sont quand même plus fortes que de gagner le gros lot à la 6/49.

— Tant qu'à ça..., admet-il.

— Tu sais comme moi qu'on risque de manquer d'argent. On n'est pas pour refuser un moyen facile d'en gagner.

Steve regarde au loin si, par hasard, il peut repérer la vieille. Elle est désormais hors de vue, perdue dans la foule du terminus.

— O.K. C'est où en Ohio? interroge Steve.

J'ai gagné! Ça me fait un petit velours, parce que ça n'arrive quand même pas tous les jours que je réussis à convaincre cette tête de pioche de Steve. Je déchiffre le scribouillage sur le paquet.

— C'est écrit... Cle... Clev... et OH à la fin.

— Cleveland, Ohio!

— Ouais, c'est probablement ça.

Quelques secondes suffisent pour repérer l'endroit sur la carte routière.

— C'est sur notre chemin, non?

— O.K., Marc-André. Prenons le risque.

— Bravo!

— Tout ce que je souhaite, c'est que ce maudit cadeau ne va pas multiplier nos complications.

— Ben voyons donc! Aie confiance en moi pour une fois.

Steve me lance un regard lourd et défiant que l'on pourrait difficilement qualifier d'enthousiaste.

Après un arrêt d'une quarantaine de minutes à Toronto, nous montons à nouveau à bord de l'autobus.

Adieu Toronto. Adieu métropole du Canada. Tu salueras de notre part tes *Blue Jays*, tes *Maple Leafs*, ta tour du CN plantée comme un gros chandelier sur la nappe du centre-ville, ton *Skydome* en forme d'œuf géant qu'un oiseau préhistorique aurait abandonné là avant les grandes glaciations. Tu mangeras quelques beignes en pensant à nous. On se reverra peut-être à la fin de l'été...

Dans l'autobus, je garde le paquet sur mes genoux. Le papier d'emballage fait naître en moi des souvenirs de Noël, de messe de minuit, de réveillon, de dinde et de canneberges. Je fredonne l'air de *Les anges dans nos campagnes*.

— Ferme-la! peste Steve.

J'ai compris, j'ai compris... Certaines personnes n'ont tout simplement jamais l'esprit à la fête.

Hamilton, Ontario. L'autoroute traverse une baie où se sont installées de gigantesques usines polluantes aux cheminées toutes rouillées. D'imposants cargos minéraliers sont postés devant les usines. Ça m'a tout l'air d'être ici le royaume de l'acier et de l'industrie lourde.

L'endroit a beau être affreux, il exerce néanmoins sur nous une singulière fascination. Comme quoi les choses laides peuvent aussi être captivantes...

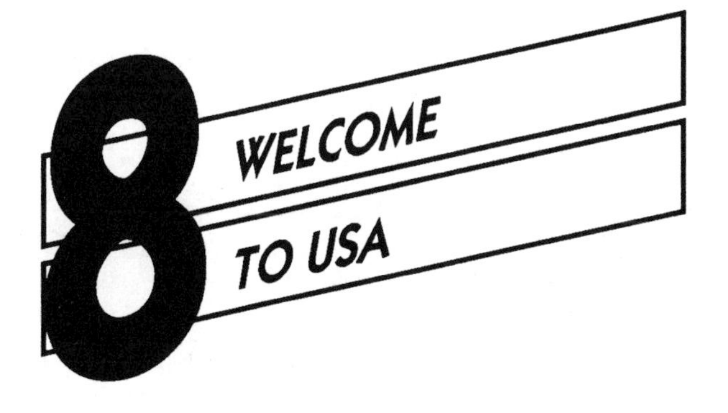

Nous sommes dans l'autobus depuis si longtemps que je ne sais plus vraiment faire la différence entre le siège et moi.

J'ai l'estomac dans un étau. Les beignes de Toronto me sont tombés dans les talons.

— J'ai faim.

— Moi aussi, soupire Steve. Ne désespère pas. On approche de Buffalo.

— On roule depuis si longtemps qu'on doit bien être à la veille de changer d'heure?

— On reste dans le même fuseau horaire, Marc-André.

— Ah bon! Je ne le savais pas.

Fort Érié. C'est ici que nous franchissons le pont de la Paix pour nous rendre à Buffalo, premier arrêt de notre périple.

— Ça fait combien de temps qu'on est partis?

Steve regarde sa montre.

— Neuf heures et demie.

Mes parents ont eu tout le temps voulu pour avertir la police. Gerry leur a-t-il parlé de notre rencontre de ce matin? La police américaine, alertée par la Sûreté du Québec, m'attend-elle de pied ferme à la frontière?

Une fois le pont traversé, l'autobus se gare à proximité du poste de douane. Pas de doute. Nous sommes aux États-Unis. Le drapeau américain flotte au vent qui souffle du lac Érié.

Un agent pénètre dans l'autobus. Il porte un uniforme bleu avec l'aigle américain brodé à l'épaule.

Il commence à interroger les passagers. Toujours les mêmes questions. Combien de temps allez-vous passer aux États-Unis? Qu'apportez-vous dans vos bagages? S'agit-il d'un voyage d'affaires ou de plaisir?

En ce qui nous concerne, j'espère que ce sera les deux.

Le moment est venu de confier mon secret à Steve.

— J'ai une chose importante à te dire, Steve...

— Quoi donc?

— Eh bien... Voilà. Mes parents ne savent pas que je suis parti.

Il me regarde, incrédule.

— Quoi? Tu veux dire que tu es en fugue?

— Disons plutôt que je suis parti sans leur permission. C'est légèrement différent.

— Tu me niaises, Marc-André?

— Pas une miette... Je te raconte la pure vérité. Mon père ne voulait pas que je parte. J'ai sacré le camp.

— Quoi?

— J'ai décrissé, si tu préfères.

— Mais tes parents doivent être morts d'inquiétude à l'heure qu'il est.

— Qu'ils crèvent! Ils n'avaient qu'à m'écouter quand j'ai essayé de leur parler. C'est leur problème... Pas le mien.

Steve est renversé par ma déclaration. Moi-même, j'ai de la difficulté à imaginer que ces mots-là viennent de sortir de ma propre bouche.

— On est mieux d'annoncer ça tout de suite à la police, propose Steve. On rentrera par le prochain autobus avant qu'il ne soit trop tard.

Il fait mine de se lever. Je l'attrape par la manche.

— Reste là!

Le douanier lève la tête en notre direction, avant de poursuivre l'interrogatoire d'un autre passager. Steve se rassoit.

— D'après moi, mes parents n'ont peut-être pas encore averti la police.

— Et s'ils l'ont fait?

— Nous devons tenter notre chance, Steve. Nous sommes trop près du but pour abandonner.

— Mais c'est dangereux...

— C'est toi qui as peur, maintenant?

— Ce n'est pas de la peur, Marc-André. C'est du gros bon sens.

— *Bullshit!*

Nous sommes interrompus par l'arrivée du douanier. Un gros moustachu, carnet en main, qui rabâche ses questions d'une voix monotone, sans daigner nous regarder.

Il lève les yeux à la première réponse. Soupçonne-t-il quelque chose?

Nous essayons de lui expliquer que nous allons aux États-Unis apprendre l'anglais. Il nous demande notre âge.

— Il veut savoir si nous sommes majeurs, grommelle Steve.

Je réponds dix-huit ans. Le bonhomme ne bronche pas. Il me demande une pièce d'identité. Je lui montre ma carte d'assurance sociale, la seule où ne figure pas ma date de naissance. Il note mon nom sur son calepin. Il remarque la carte d'identité de Roxanne dans mon portefeuille.

— *Your girlfriend?* demande le douanier.

— *I hope so*[5]...

Pourvu qu'il ne poursuive pas ce jeu de questions et réponses trop longtemps, ou encore qu'il nous demande de le suivre au bureau des douanes... On va finir par se mêler dans nos menteries. Qu'est-ce qu'ils vont faire de moi s'ils découvrent le pot aux roses? Me renvoyer à ville Lasalle par le prochain autobus? Téléphoner à mes parents et leur demander de venir me chercher? C'est long, Buffalo-Montréal, en auto avec ton père. Surtout quand il est furieux contre toi...

---

5. —Ta copine?
   — J'espère que oui.

Mon indice de bravoure faiblit. Je suis figé sur place et, en même temps, j'aurais envie de fracasser la fenêtre de l'autobus et de passer la frontière illégalement. On lâcherait les chiens sur moi, mais je parviendrais le premier à la rivière. Une barque serait là, à ma disposition, preuve qu'il y a un bon Dieu des fugueurs. Je ramerais avec l'énergie du désespoir, sous les salves d'artillerie des douaniers qui feraient plouc! plouc! autour de mon embarcation. Je remonterais la rivière jusqu'au prochain hameau. J'y arriverais pantelant, blessé. Une belle Américaine en costume de la Révolution m'accueillerait avec des manières avenantes et une trousse de premiers soins. Elle panserait mes blessures avec du peroxyde. Ça ferait mal. Mais je ne broncherais pas. Comparé à moi, Harrison Ford ferait figure de mauviette.

Le douanier m'extirpe brusquement de cette rêverie en revenant à la charge avec ses questions. Il remarque le colis de Noël à mes pieds. Merde!

— Qu'est-ce qu'il y a là-dedans? demande-t-il, inquisiteur.

Heureusement, un collègue douanier monte dans l'autobus et lui donne l'ordre de se hâter. J'en profite pour faire glisser, du bout du pied, le paquet sous le siège avant. Notre douanier murmure quelque chose de peu flatteur à l'endroit de son supérieur. Lorsqu'il revient à nous, il a oublié le colis. Ouf!

— Qu'est-ce que je disais déjà? poursuit-il en anglais.

— Vous vouliez savoir d'où nous sommes?

— C'est ça. Vous venez de quelle place déjà?

J'hésite à répondre Montréal. Mon signalement circule-t-il déjà aux postes frontaliers? Steve finit par répondre à ma place.

La réaction du douanier nous prend par surprise.

— *Montreal!* La belle province, balbutie-t-il en massacrant cette vieille expression. Excousez-moi! Ma français est très mal.

Nous comprenons sur les entrefaites que le bonhomme a déjà assisté à un congrès nord-américain de douaniers à Montréal. Qu'il connaît le Vieux-Montréal et le bar le Vieux-Munich... Depuis toujours, le *Canadien* est son équipe de hockey favorite. Ils les aiment plus que les *Sabres* de sa ville.

Bref, nous sommes bien tombés.

— *Beautiful women in Montreal! Yeah! Lots of them... And so french too*[6],

6. — Y'a des tas de belles filles à Montréal. Et tellement françaises en plus...

ajoute-t-il en multipliant les clins d'œil malicieux.

Il poursuit son travail, visiblement ragaillardi par notre entretien. Il descend ensuite de l'autobus, non sans nous saluer à nouveau.

Nous franchissons la frontière. *Welcome to USA*.

Si on peut se fier à ce premier contact, notre voyage sera sûrement une partie de plaisir. Du gâteau. De la petite bière.

Au fait! Ça me rappelle que j'ai faim. Que j'ai faim en maudit même!

9 LA CHANCE NOUS SOURIT MAIS SES DENTS SONT TOUTES CARIÉES

Toujours à bord de l'autobus, nous entrons dans ce qui doit être le centre-ville de Buffalo. Je dis bien «qui doit être». Non pas qu'il y ait beaucoup de gens dans les rues, au contraire, mais parce que l'on aperçoit un pâté de gratte-ciel, ou plutôt quelques mornes masses de béton tassées les unes contre les autres. Leur présence jette de grandes flaques d'ombre dans les rues. Le soleil se couche tôt au centre-ville de Buffalo.

Plusieurs façades de magasins sont placardées et leurs corniches sont habitées par les pigeons. Et ce vent qui charrie vieux journaux, sacs de chips, canettes de bière...

Enfin! J'aperçois une présence humaine. Un Noir qui vagabonde sur un trottoir tout crevassé. On dirait qu'il se laisse, lui aussi, chasser par le vent.

Au restaurant du terminus d'autobus, nous gobons des hamburgers graisseux et des frites molles[7]. La foule est bizarroïde, un mélange de Blancs et de Noirs. Des ouvriers surtout. Mais aussi des itinérants dont ce restaurant est probablement le point de chute. Des gens qui fument des bouts de cigarettes, qui boivent du café d'une main tremblotante, qui parlent tout seul. En comparaison d'ici, le *PFK* du boulevard Lafleur, à ville Lasalle, est une véritable oasis de gaieté...

Derrière le comptoir, épinglés au mur, les premiers dollars de l'établissement. En des-

---

7. Celui qui a déjà travaillé au *Poulet Frit Kentucky* est assurément un expert en patates frites molles. Alors, si je vous dis qu'elles sont molles, c'est qu'elles le sont vraiment. Compris?

sous, un avertissement qui se traduirait par «Ne pas voler, s'il vous plaît». Vraiment pas jojo comme endroit.

Pour dessert, on nous sert du vieux jello avec des nerfs dans le fond du bol. Même le jello n'est pas frais!

Steve finit de manger. Il rote — pouah! ça sent les oignons dans tout le restaurant... — s'essuie la bouche, roule sa serviette de papier.

— Viens, Marc-André. On va se chercher un endroit pour dormir.

Nous sortons du terminus d'autobus, avec tout notre «barda» comme on dit chez nous. Les clients nous suivent des yeux dans le plus grand silence.

Les abords du terminus n'ont absolument rien de rassurants. Il y règne une forte odeur d'ordures. Déjà, à Montréal, je n'aime pas, tard le soir, fréquenter ce genre de lieux. C'est encore pire en pays inconnu, je dirais.

Des chats se chamaillent à propos d'un morceau de viande. Puis, ils se cachent derrière les poubelles pour lécher leurs blessures. Pourvu qu'on ne rencontre personne ici. L'endroit est vraiment trop lugubre.

Mon sac à dos me paraît beaucoup plus lourd que ce matin. Décidément, j'ai trop apporté de vêtements. En plus, il me faut traîner partout ce damné cadeau de Noël.

Steve avait raison: j'aurais dû envoyer promener la vieille.

Nous marchons depuis quinze minutes sur le bord du chemin lorsque nous apercevons une enseigne de motel au loin. Un petit néon rouge indique *No vacancy*. Je tente une interprétation.

— *No vacancy!* Qu'est-ce que ça veut dire? Que les propriétaires ne prennent jamais de vacances? Ou qu'on n'a pas le droit de prendre nos vacances ici?

— Innocent! Ça veut dire qu'ils sont complets.

Un second motel refuse de nous louer une chambre sous prétexte que nous sommes trop jeunes.

— Je ne veux pas de problèmes, explique le gérant.

— Nous non plus, figurez-vous!

Inutile d'insister.

Quel accueil! Qui a dit déjà que les Américains s'y connaissaient en matière d'hospitalité?

Cent mètres plus loin, la chance nous sourit. Un troisième motel où, par bonheur, il reste de la place et où le propriétaire ne se montre pas trop méfiant à notre égard. Il doit venir des Indes ou du Pakistan. Il parle un anglais encore plus laborieux que le mien, je pense.

Au moment où nous payons comptant une chambre à deux lits jumeaux, un train de marchandises traverse à toute proximité un passage à niveau.

— Tu avais remarqué la voie ferrée, toi? demande Steve.

— Non.

Avec un sourire enjôleur, le propriétaire du motel nous dit de ne pas nous inquiéter.

— C'est le dernier. Il n'en passe pas la nuit. Vous allez dormir sur vos deux oreilles.

Menteur!

J'ai dit que la chance nous souriait plus haut. Eh bien, j'ai parlé trop vite. Son sourire est jaune et ses dents sont toutes cariées.

Je me mets au lit pour m'apercevoir que je ne suis pas encore au bout de mes peines.

— Les voisins écoutent la télévision à tue-tête.

— Oui et quand quelqu'un actionne la chasse d'eau, on entend le gargouillement des intestins du motel. Amusant, non?

J'enfouis ma tête sous l'oreiller. Ce n'est pas mieux. Les draps sentent le renfermé. Je me plains:

— Je ne pourrai jamais dormir avec tout ce tapage.

— Petite nature, va!

— Ce n'est pas juste. Tu es habitué, toi, à la misère. Chez vous, c'est quasiment comme ici...

— Bonne nuit! m'interrompt Steve en se glissant sous les couvertures.

Je commence à compter les moutons.

Puis, je me ravise et je décide de compter les journées qui restent avant de rentrer au Québec. Ça ne fait pourtant même pas vingt-quatre heures que j'ai quitté ville Lasalle!

Je m'ennuie de la maison. De Roxanne. De Fanny Lavigne. De ma mère. D'Alexandre même. De mon père et de Face de Rat? N'exagérons pas tout de même.

— Steve?

— Quoi encore?

— Est-ce que tu me trouves plaignard?

— Bien sûr que non.

— Tu sais, je ne m'attendais pas exactement à dormir dans ce genre d'endroit. J'ai peut-être été naïf. Me trouves-tu naïf, Steve?

— Ben non, Marc-André. T'es pas naïf. T'es juste un peu nono. Bonne nuit, là.

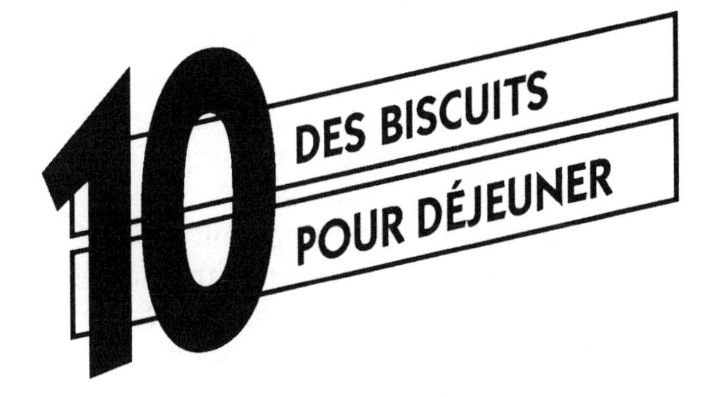

J'ai compté onze trains pendant la nuit. Et je suis presque certain d'en avoir oublié quelques-uns vers le petit matin...

J'ai eu plusieurs fois la conviction que les wagons traversaient le motel. Nos fenêtres vibraient à chaque passage. Seule consolation: les phares des locomotives éclairaient les murs de la chambre lorsque je me suis levé pour aller pisser pendant la nuit. Ce qui m'a évité de buter contre les meubles.

Le peu de temps que j'ai dormi, j'ai rêvé que, pieds et poings liés sur la voie ferrée, les locomotives me roulaient sur le corps. Mais je ne sentais rien. Je me disais que ce devait être parce que j'étais déjà mort. Ensuite, j'ai fait un autre rêve, plus court celui-là. J'ai rêvé que je dormais dans **mon** lit.

Nous mangeons des biscuits aux pépites de chocolat pour déjeuner.

Sur le lit, Steve étale la carte routière. Elle tombe en lambeaux et ne tient plus qu'à l'aide de bouts de papier collant jauni.

— Il est interdit de faire de l'auto-stop sur la grande route. On va devoir emprunter les entrées d'autoroute, ou encore, les routes secondaires. Ça risque d'être plus long, mais on n'a pas le choix.

En quittant le motel, un camionneur nous propose de nous laisser précisément à l'intersection où nous devons entamer notre périple. On n'a même pas eu besoin de le lui demander!

Sacs à dos, tente, guitare, cadeau de Noël de la vieille... Allez hop! Nous jetons tout ça pêle-mêle dans la remorque du camion.

Le conducteur cherche à nous faire la conversation.

— Où vous allez comme ça?

— Au Kentucky, répond Steve.

— Pour quoi faire?

— Trouver du boulot.

— Drôle d'endroit pour aller travailler. C'est un des États les plus pauvres de l'Amérique...

— Ne vous inquiétez pas. On connaît des gens bien placés là-bas.

Notre interlocuteur continue de parler, puis se lasse lorsqu'il constate que notre conversation est plutôt limitée. Ou encore, il se fatigue de toujours répéter les mêmes phrases, sans que l'on comprenne mieux la seconde fois.

Quelques dizaines de kilomètres plus loin, la route bifurque. Nous descendons du camion et faisons nos adieux à notre bon samaritain. Nous nous installons en bordure du chemin, persuadés que notre bonne étoile nous mènera à la vitesse grand V au Kentucky...

D'accord, j'ai encore parlé trop vite!

Notre bonne étoile a dû s'égarer, se tromper de galaxie, filer dans la mauvaise direction.

Voilà trois heures qu'on fait du pouce et on n'a pas avancé d'un... centimètre! Steve a beau jongler avec trois balles de tennis, ça ne fait pas stopper les voitures pour autant. Il jure:

— Lorsque je posséderai une auto plus tard, je promets de ramasser tous les pouceux que je rencontrerai. Même ceux qui me paraîtront louches ou malpropres.

— Avec tout ce qu'on lit dans les journaux, c'est normal que les automobilistes aient peur de se faire éventrer par des inconnus. Nous vivons dans une civilisation violente et «fuckée», *man*. C'est une idée absolument débile de penser qu'on pourra se rendre au Kentucky en faisant du pouce. Débile et stupide.

— Arrête ton sermon, Marc-André. Et puis, tu me tombes sur les nerfs avec ta violence à la fin. Si tu continues à m'emmerder avec ça, je vais t'en donner, moi, de bonnes raisons de craindre la violence... Fie-toi à moi!

Encore des menaces.

Les trois premières voitures qui s'arrêtent nous font parcourir la fabuleuse distance de dix milles. C'est comme jouer au *Monopoly*, jeter les dés, et n'obtenir toujours que double un. Déprimant.

— À ce rythme-là, Steve, on ne sera même pas sortis de l'État de New York à la fin de l'été!

— Sois patient, Marc-André. Et souris. Les gens ne s'arrêtent jamais pour faire monter des airs bêtes.

J'exagère tellement mon sourire que je ressemble à un clown, gros nez rouge et cheveux orange en moins.

Une voiture klaxonne bruyamment en passant devant nous.

— Tu vois! Ça ne marche pas plus...

— Idiot!

— Écoute-moi bien, Steve. Je ne sais pas jongler, je ne sais pas cracher le feu, je ne suis pas une pin up non plus...

— Je sais déjà tout ça, marmonne-t-il. Tu fais ce que tu peux avec les moyens que tu as, c'est-à-dire avec les moyens du bord!

Je tends la main et je regarde le ciel.

— Bon, voilà qu'il commence à pleuvoir maintenant.

Nous enfilons nos imperméables et cela semble encourager le ciel à redoubler d'ardeur. La pluie tombe de plus en plus dru.

— Trempés jusqu'aux os, on est aussi bien d'aller se sécher quelque part. Personne ne va s'arrêter pour nous.

— Je veux bien, mais où?

Steve n'a pas tort. Autour, il n'y a que des champs, des fermes, mais pas l'ombre d'un casse-croûte.

— Continuons à marcher d'abord.

Nous chargeons nos bagages sur nos épaules.

En passant près de nous, non seulement les automobilistes ne s'arrêtent pas, mais en plus, maintenant, ils nous éclaboussent.

Chienne de vie, va!

Le ciel finit par se dégager. Les nuages lourds, chargés de pluie acide, se laissent emporter par le vent.

Sorties de nulle part, deux filles d'à peu près notre âge viennent nous livrer concurrence et faire du stop sur **notre** terrain. Après nous avoir salués, elles nous expliquent qu'elles vont s'installer plus loin pour éviter de nous nuire. Trop aimables. Pas vilaines du tout d'ailleurs, les deux filles. Un peu potelées comme le sont souvent les Américaines, mais quand même pas mal.

Elles pourraient rester avec nous, ça ne me dérangerait pas. Ça nous changerait de nous autres. Par la force des choses, Steve et moi commençons à nous tomber un peu sur les nerfs.

Évidemment, la première voiture nous file sous le nez mais s'immobilise devant les deux filles. Le contraire aurait été étonnant, non?

— La vie est injuste, rouspète Steve. Pourquoi on est pas deux belles filles nous autres aussi... Dis-moi pourquoi?

— Tu pourras toujours demander à ton père... si jamais on le trouve.

Steve ne prête pas attention à ma remarque. Je me fais la réflexion que tout irait tellement mieux si Roxanne m'accompagnait. Je me cacherais derrière un buisson, Roxanne lèverait le pouce et les voitures feraient la queue pour nous. En fin de compte, l'idée de voyager deux gars ensemble n'était décidément pas la meilleure.

Je mange des biscuits le long du chemin pour passer le temps, pendant que la chaussée sèche et que nous séchons nous aussi, mais beaucoup plus lentement toutefois. J'accorde le verbe sécher au présent, à l'imparfait, au passé simple. Je séchai, tu séchas, il sécha, nous séchâmes... C'est mon prof de grammaire qui serait fier d'entendre ma complainte.

À la brunante, nous ne sommes guère plus avancés.

Je demande à Steve:

— Qu'est-ce qu'on fait? On arrête ou on continue?

— Arrêter? Où veux-tu qu'on aille?

— Ici, dis-je en pointant un champ de l'autre côté du fossé.

— Mouais...

— Fais pas ta moumoune, Steve Russell!

Le sol est encore un peu humide, mais nous n'avons pas les moyens de nous payer des chambres de motel tous les soirs. De toute façon, il n'y en a pas autour. Alors, nous décidons de planter notre tente directement dans le champ de blé d'Inde, au milieu de ce qui ressemble à une clairière.

Une fois la tente montée, Steve tire sa guitare de son étui. Il gratte quelques accords. Les grillons l'accompagnent pendant que j'entame une lettre d'amour qui commence par «Roxanne chérie». Mais l'inspiration me manque et je m'arrête après ces deux mots. Je pose ma tête sur mon sac de couchage roulé en boule et je regarde la lune se lever à travers les cotons de blé d'Inde. C'est poétique.

— Steve?

— Quoi?

— Pour la première fois depuis que nous sommes partis, je me sens vraiment bien.

— Tu t'attends à recevoir des félicitations?

— Non, je voulais juste que tu le saches, c'est tout. Bonne nuit.

Je pénètre sous la tente. Je me demande bien comment nous pourrons dormir deux dans un si petit abri. Dehors, Steve change de chanson. Merci.

Je suis si fatigué après mes deux dernières nuits que le sommeil me gagne tout de suite, malgré l'inconfort des lieux et même si la toile de la tente, trop usée par endroits, prend l'eau. Je me prépare à passer ce qui pourrait s'appeler une nuit... humide.

Constatez par vous-même.

Dans l'un de mes rêves, une longue limousine s'arrête devant moi sans même qu'il m'ait fallu lever le pouce. Un élégant chauffeur ouvre la portière arrière et m'invite à pénétrer à l'intérieur. Je penche la tête pour me retrouver instantanément au paradis. On m'offre du champagne. On me prie de passer à table. Un repas à plusieurs services où les victuailles sont dissimulées sous des cloches d'argent: la lasagne de ma mère, de gros steaks cuits sur le charbon de bois, de la dinde de Noël... Pour dessert, un gâteau des anges avec des fraises géantes et de la crème fouettée sur le dessus. Je commande aussi une grosse poutine italienne juste au cas où j'aurais encore faim après...

Une fois ma panse bien remplie, des filles à moitié nues paradent sous mes yeux. Nul besoin de digestif!

Et dire que, pas plus tard qu'il y a dix jours, Steve me reprochait de ne pas savoir rêver en couleurs!

Le lendemain matin, nous sommes réveillés par le chant des corneilles.

Nous décampons de bonne heure pour éviter de rencontrer le propriétaire. On n'est pas intéressés à ce qu'il nous chasse à coups de 303 ou qu'il nous fasse rencontrer les agents de la paix du coin.

En partant, Steve pique quelques épis de blé d'Inde.

---

8. Plume Latraverse, *La 20*.

— Ce n'est pas du vol, dit-il, mais des épis que les corneilles ne mangeront pas.

— Qu'est-ce que tu veux en faire? C'est probablement du blé d'Inde à vache.

— Bah! Si c'est bon pour les vaches, c'est bon pour nous autres itou...

Ah! ce Steve, quel fin gastronome! Ça n'a rien à voir avec mon rêve de la nuit dernière.

N'empêche que je me demande si les vaches ne se nourrissent pas mieux que nous ces temps-ci.

Nous venons de parcourir sur le pouce une vingtaine de milles. Décidément, tout allait trop bien...

— Merde!

— Qu'est-ce qu'il y a encore? demande Steve.

— J'ai oublié le cadeau de la vieille dans le champ de blé d'Inde...

— C'est pas vrai, fait Steve en se prenant la tête entre les deux mains. Mais qu'est-ce que je vous ai donc fait, mon Dieu, pour hériter d'un crétin pareil comme compagnon de voyage?

Puis, sur un ton plus ferme, il dit:

— Oublie la vieille, mon vieux, on continue! Pas question de faire marche arrière.

— C'est là que tu te trompes, Steve Russell. Pas question de laisser tomber la bonne femme. On fait demi-tour et je récupère la boîte à chaussures. Elle ne m'a pas donné vingt dollars pour que j'abandonne stupidement son paquet dans un champ de blé d'Inde.

— Stupidement, tu l'as dit!

Nous nous jaugeons tous les deux. Je sens qu'il va céder.

— Déjà qu'on avance à la vitesse des limaces, murmure-t-il, les dents serrées. Des limaces estropiées.

— Es-tu sûr que c'était ici?

— Certain.

Je me tourne vers le chauffeur:

— Monsieur, on aimerait descendre.

— Ici?

L'homme applique les freins et nous observe avec curiosité.

— C'est la première fois que des pouceux me demandent de les abandonner au milieu de nulle part. Vous allez sûrement mettre beaucoup de temps à arriver à bon port, vous deux!

— Je sais ça, soupire Steve.

Heureusement, en bordure du fossé, le cadeau n'a pas bougé.

— Tu nous a fait perdre deux heures et demie, fulmine Steve. Je me doutais bien aussi que ce maudit cadeau ne serait qu'une source d'ennuis...

— Je le sais. Ça fait vingt-cinq fois que tu me le répètes. Ferme-la, veux-tu. Ton message est passé. J'ai compris.

Nous mettrons trente bonnes minutes à nous réconcilier.

Steve et moi, on s'engueule souvent comme du poisson pourri. Mais, dans le fond, on s'aime bien.

Chronique sur l'auto-stop. On fait du pouce à tour de rôle, par tranches de quinze ou vingt minutes environ. Celui qui fait s'arrêter un véhicule a le privilège de s'asseoir où il veut.

Devant, on voit mieux, c'est évident, mais il faut faire la conversation, répondre aux questions, être gentil, etc. Tandis qu'en arrière, on peut roupiller tranquillement, faire le mort.

Personnellement, je préfère l'arrière. Ça tombe bien parce que Steve aime mieux le devant. Pas de chicane à ce sujet. C'est déjà ça de pris.

Incroyable tout de même à quel point les gens qui nous ramassent peuvent être bavards. On apprend tout sur leur vie: leurs problèmes d'argent et de carrière, le nom de leur maîtresse... Nous officions en tant que psychologues en herbe et nos services ont l'avantage d'être gratuits. Quand ça devient trop pénible, on fait comme si on ne comprenait pas. C'est parfois très commode de ne pas parler l'anglais parfaitement.

Aujourd'hui, nous avons plus de succès sur le pouce.

D'abord, un fermier sympathique qui mène ses cochons à l'abattoir — on les entend couiner dans la remorque. Il parle d'ailleurs avec un accent qui ressemble à celui de ses bêtes.

Ensuite, un gars soûl qui conduit d'une main et qui boit de l'autre. Un danger public, lui. Steve lui passe les canettes de *Budweiser* par-dessus la banquette. Moi, je regarde la route défiler comme dans un jeu vidéo de courses automobiles. Une chose est sûre: c'est plus épeurant encore dans la vraie vie.

Si, par malheur, la police lui file une contravention, je devrai peut-être donner des explications, montrer mes cartes d'identité. Ils pitonneront sur leur ordinateur. Peut-être me retraceront-ils? Craintif lui aussi, Steve explique au gars qu'il nous faut descendre maintenant.

— On s'est trompés de chemin, ment Steve. Pouvez-vous nous laisser ici?

Le gars obéit en beuglant quelques phrases incompréhensibles. La voiture et son conducteur reprennent leur trajet sinueux.

— Il va finir dans le fossé, prédit Steve.

Bientôt, nous arrivons en Pennsylvanie. J'aime les frontières. Je ne sais pas pourquoi au juste. J'ai l'impression que les choses vont être différentes de l'autre côté. Erreur. L'herbe est de la même couleur, le soleil luit de la même façon, les vaches ont le même air hébété...

Sur une énorme pancarte, le gouverneur de l'État nous souhaite la bienvenue. Brave gouverneur, ne vous dérangez surtout pas pour nous. On ne fait que passer, vous savez...

Quand on roule depuis un bout de temps, on voit toutes sortes de choses en chemin. Des vieilles carcasses de pneus comme des excréments de poids lourds, des silencieux qui n'ont plus rien à dire, des morceaux de pare-chocs à la retraite, des enjoliveurs dispersés comme des pièces de monnaie du bon Dieu.

On rencontre aussi des animaux écrabouillés: des mouffettes et des ratons laveurs dans les plaines, des marmottes près des cours d'eau. J'ai même vu un petit cerf de Virginie le ventre fendu et la langue pendante sur le bord de la route. Des oiseaux de proie se disputaient ce morceau de roi. J'ai espéré qu'il soit mort sur le coup.

Parlant d'oiseaux de proie, on croise aussi des voitures de police. Heureusement, je ne suis jamais celui que l'on cherche à rattraper.

Quand on roule depuis un bout de temps, on sent toutes sortes d'odeurs. Celle du fumier en campagne, celle de la pollution et du monoxyde de carbone dans les villes. Et parfois ça ne sent rien. Ou ça sent le goudron qui cuit sous le soleil.

Alors, Steve dit:

— On doit sûrement être en banlieue.

Chez nous, lorsqu'on se trouve en banlieue, on sait qu'il y a généralement une ville pas bien loin. Aux États-Unis, les banlieues vivent toutes seules, au milieu de nulle part, avec leurs boulevards où sont cordés les *fast food*, les motels et les centres commerciaux. Étrange.

C'est justement dans l'une de ces banlieues que nous nous arrêtons pour faire quelques provisions dans un supermarché. Les allées sont si larges que nous ne craignons nullement d'accrocher les étalages de produits avec nos sacs à dos. Pratique, n'est-ce pas?

Nous avons le choix entre neuf marques différentes de sirop d'érable, onze de frites congelées, sept de mayonnaise... Nous achetons des chips, des biscuits, des céréales granola, de l'eau en bouteille et un régime de bananes. Un régime de bananes?

«Une banane vaut un steak», dit l'adage. Alors, dans le guide alimentaire canadien, la banane est-elle pour autant classée dans les viandes rouges?

À la caisse, nous payons avec de l'argent liquide précieusement conservé dans une enveloppe brune.

Nous retournons à notre poste, c'est-à-dire sur le bord du chemin.

Je lève mon pouce pour remarquer qu'il est désormais parfaitement bronzé des deux côtés. Depuis le temps...

Voilà deux heures maintenant que nous attendons à l'entrée de l'autoroute, devant une station-service passablement achalandée. Pénible spectacle. Lorsqu'une voiture ralentit, c'est chaque fois pour se diriger vers les pompes. Notre après-midi n'est qu'une succession de fausses joies. Ça mine plus le moral encore que s'il n'y avait pas un chat à l'horizon.

Enfin! Voilà qu'une vieille Ford freine à notre hauteur. Va-t-elle bifurquer comme l'ont fait toutes les autres voitures depuis deux heures? Eh bien... on dirait que non.

— Je n'en crois pas mes yeux, Marc-André.

— Vite, avant qu'il change d'idée.

Qu'**elle** change d'idée puisqu'il s'agit d'une grosse femme à l'allure sympathique. Elle descend de son véhicule, tandis que la radio joue à tue-tête une musique rock.

— Bonjour, je m'appelle Vicky! crie-t-elle pour couvrir le son de la radio. Enchantée...

Voilà quelqu'un qui ne perd pas de temps avec les présentations.

— Voulez-vous mettre vos bagages dans le coffre?

— Pas nécessaire, répond Steve.

Vicky va dans notre direction. À la bonne heure! Elle a le visage tout rond, la poitrine abondante sous sa chemise de chasse à moitié déboutonnée, la bouche en cœur et un léger duvet sous le nez. Léger? Pas vraiment, c'est quasiment une moustache. Lorsqu'elle rit, ce qu'elle fait continuellement et très fort, on peut remarquer une petite fente entre ses incisives. Ça lui donne un genre, comme on dit...

— C'est pour moi, le cadeau de Noël? demande Vicky en désignant le colis. Vous n'auriez pas dû, les gars...

Rapidement, j'ai mal au cœur. Je dois tenir ça de ma mère qui ne supporte pas les longues randonnées.

Mais, au moins, on avance.

Lorsque Vicky demande à Steve de baisser le volume de la radio, il se trompe de bouton et tourne celui de l'allume-cigare. Vicky se moque gentiment de mon copain.

— *You're so cute*[9]*!* susurre-t-elle à Steve.

Je pose par inadvertance la main sur des condoms. Usagés! Ouache! Je m'essuie les mains sur le siège. Dédaigneusement, en doutant de sa propreté.

— Où est-ce que vous dormez le soir? demande Vicky.

Première règle de l'auto-stoppeur: ne pas contrarier la personne qui vous fait faire du millage. Même si la question paraît un peu louche.

— Sous la tente ou au motel, répond Steve. On ne sait jamais d'avance.

— Les gens ne vous invitent jamais chez eux?

— Ce n'est pas encore arrivé, non.

Vicky glisse sa grosse main couverte de bagues sur la cuisse de mon camarade.

— Avec tes grands yeux bleus et tes beaux cheveux blonds, dit-elle, les filles de ton patelin doivent toutes être amoureuses de toi, pas vrai?

---

9. — T'es si mignon!

— Pas tant que ça, réplique Steve en cherchant à garder sa contenance et en posant la main de Vicky sur le volant.

— En tout cas, moi, à leur place, j'en profiterais...

Elle enchaîne:

— Je parierais que tu n'as jamais fait ça avec une femme mûre. Une femme avec de l'expérience, dit-elle avec une œillade racoleuse. Une femme qui a beaucoup à donner...

— Non et ça ne m'intéresse pas vraiment. Merci quand même.

Brusquée par cette rebuffade, Vicky change de stratégie. Elle passe plutôt à l'action. De sa main libre, elle cherche à défaire la braguette de Steve.

— Woow! Enlève tes sales pattes de là et regarde la route! lui ordonne-t-il en se débattant comme il peut.

Vicky le repousse d'un solide coup d'épaule et Steve va choir dans la portière.

— Elle est complètement folle, cette fille! hurle Steve. Elle va tous nous tuer!

Furieuse, Vicky appuie sur l'accélérateur, klaxonne avec colère, double sur la droite un poids lourd. Il faut faire quelque chose. Sinon, Steve va se faire violer. Ou bien, notre voyage va se terminer dans quelques secondes et ce sera contre un gros tronc d'arbre...

Mon pied touche un objet sous le siège. Qu'est-ce que c'est que ça? Une clé anglaise. Je m'incline pour tâter l'objet des doigts. Mais... mais... Merde! C'est un... c'est un... revolver!

Je m'en empare aussitôt.

Vicky m'aperçoit dans son rétroviseur. Elle m'interpelle:

— Hey! le *twit* en arrière. Ne joue pas avec ça, compris! C'est pas pour les enfants, ce joujou-là.

Profitant de ce moment d'inattention, Steve braque le volant vers la droite et tire brusquement le frein à main. La voiture fait une embardée qui me projette contre le siège avant. Puis...

POW!

Je pourrais le jurer sur la tête de ma mère: le coup est parti tout seul. Steve se tourne vers moi, les yeux écarquillés, complètement estomaqué...

Le projectile a fait un trou dans le caoutchouc mousse du siège pour se diriger vers le pare-brise. Vicky a dû sentir la balle lui frôler la tête. Ça se lit dans son visage livide, effarée. Elle vient d'avoir la frousse.

L'important, c'est que personne ne soit blessé. Deux gars contre une fille: on aurait eu beaucoup de difficultés à convaincre un jury qu'il s'agissait bien d'un cas de légitime défense.

Paniquée, Vicky se range sur l'accotement.

Nous nous dépêchons de sortir nos affaires de la voiture.

Vicky reste muette jusqu'à ce que, ayant retrouvé un peu de son aplomb, elle nous couvre d'insultes.

— Voleurs, tapettes, trous de cul...

Et d'autres que je ne saisis pas, mais sans doute dans le même registre.

Elle promet d'avertir la police. Je lui ordonne de se la fermer et elle démarre dans un boucan d'enfer en nous gratifiant d'un vigoureux bras d'honneur.

Nous voilà seuls en bordure de la route.

Steve reste pantois. Je crois que je viens vraiment de l'impressionner. Nous marchons une centaine de mètres en direction d'un sous-bois, à l'abri de la circulation de l'autoroute.

Nous posons nos affaires contre un arbre.

Steve me regarde comme si j'étais quelqu'un d'autre. Avec des yeux où se mêlent l'étonnement, la crainte, mais aussi, je crois, une certaine dose d'admiration. Moi, je tremble, mais mes convulsions restent à l'intérieur de mon corps. Ça ne paraît pas trop.

Nous examinons tour à tour l'engin.

— Qu'est-ce qu'on va en faire?

Steve hausse les épaules.

— C'est dangereux de trimballer un revolver. Surtout qu'on sait qu'il est chargé. On risque de se blesser ou de tuer quelqu'un.

— Il ne reste peut-être plus de balles dans le chargeur. Sais-tu comment vérifier?

— Non, je ne m'y connais pas beaucoup en armes à feu, fait Steve en manipulant délicatement le revolver. Mais je sais que ce n'est pas prudent de le traîner avec nous...

— Peut-être, Steve, mais c'est dangereux aussi de le ramener à la police. Ils vont nous poser des tas de questions. On ne saura pas quoi répondre. Au mieux, on perdra une demi-journée. Au pire, ça leur mettra la puce à l'oreille. On a suffisamment de problèmes comme ça, non?

— Tu proposes qu'on le garde, alors?

— Je pense que c'est la meilleure solution.

— Tu as peut-être raison. Après tout, dans un coin perdu comme le Kentucky, un revolver n'est sans doute qu'un accessoire comme un autre. Un accessoire que l'on porte à la ceinture.

Du bout des doigts, je dépose l'arme dans mon sac à dos.

— Évite quand même les faux mouvements, me recommande Steve. Si tu tiens à ta peau...

Brrrrr... Cette remarque me donne froid dans le dos.

Nous sommes maintenant quelque part en Ohio. On ne trouve ni terrain de camping, ni lieu propice pour planter notre tente. Solution: passer encore une nuit au motel. Si ça continue, on n'aura plus une maudite cenne pour se rendre au Kentucky.

Mais il faut bien se laver de temps en temps. Dans les motels, même les plus miteux, il y a de l'eau. De l'eau et des petits savons enveloppés individuellement. Il ne faut pas avoir l'air trop dégueu si l'on veut avoir quelques chances de succès sur le pouce.

L'enseigne du motel annonce des films pour adultes. Euphémisme pour désigner des films de fesses, ou, pour être plus cru encore, des films de cul. Dire qu'il n'y a pas si longtemps, j'allais encore voir des films de Walt Disney au cinéma. Décidément, ce voyage me fera basculer rapidement dans l'âge adulte.

Le propriétaire du motel nous toise avec méfiance. Je ne comprends pas. Il me paraît assez peu recommandable lui-même.

Il finit par nous demander de remplir une fiche. Je m'inscris sous un faux nom, au cas où la police passerait par ici. On paye comptant à même les réserves de l'enveloppe brune.

Le proprio fait glisser une clé sur le comptoir et nous indique du menton le chemin de notre chambre. Il regarde avec intérêt la boîte à chaussures que je trimballe toujours sous le bras.

— L'ennui avec ces motels qui offrent aussi gracieusement des films pornos à la clientèle, explique Steve, c'est que les matelas sont souvent mous.

J'ignore où il a pêché ça. Il n'est pourtant pas plus un habitué des motels que je ne le suis.

Malheureusement, il dit vrai. En prime, le couvre-lit est marqué de trous de cigarettes et les rideaux sont tout poussiéreux.

— Tiens! Une coquerelle, avise Steve. Si tu accouples une coquerelle mâle et une coquerelle femelle, sais-tu, Marc-André, avec combien de bestioles tu te retrouveras au bout d'une année?

— Beaucoup, je présume.

— Ouais, mais combien?

— Je ne sais pas. Dix mille.

— Non, mon ami. Quatre cent mille bibittes.

Le plancher de la salle de bains est collant. Je garde mes bas, de peur d'attraper des maladies de pied, genre verrues plantaires.

— Tant qu'à être pris ici, propose Steve, aussi bien jeter un coup d'œil à la télé.

Nous trouvons aisément la chaîne des films pornos.

Oh la la! Ces gens-là ne sont pas des êtres humains. Ce sont des bêtes de cirque...

— As-tu vu les engins des bonshommes? lance Steve en mimant le geste que font les pêcheurs pour décrire une grosse prise.

— Et les seins des filles maintenant? Je suis sûr qu'ils ont un goût de plastique...

Comme l'endroit ne m'inspire pas confiance, je décide de verrouiller la porte.

— Merde! Elle ne ferme pas.

— Bah! Qui voudrait nous voler, de toute façon? On est encore plus cassés que n'importe quel voleur, réplique Steve en défaisant ses bagages.

Je m'étends sur le lit. Steve met en marche le climatiseur, qui laisse couler des gouttes d'eau à la tête du lit.

— Décidément, tout fonctionne de travers ici dedans!

J'ouvre le tiroir de la table de nuit. Il contient une bible. Lecture hautement recommandable pour demander, au plus sacrant, pardon au bon Dieu pour avoir osé regarder des films semblables. Drôle de duo: une bible et de la porno.

— Je m'ennuie de mon lit.

— Tu l'as dit hier, Marc-André.

— Non, hier je m'ennuyais de Roxanne. Ce n'est pas la même chose.

Steve renifle une vilaine odeur.

— T'as encore pété?

— C'est la faute du blé d'Inde à vache. Il n'est pas fait pour être digéré par un seul estomac. Ce n'est pas pour rien que les vaches en ont quatre...

Lui, il rote. Moi, je pète. Steve et moi, on parle le même langage: la langue universelle du système digestif. C'est beau, la communication...

Au sujet des pets, je dois faire un aveu: voilà, je suis plutôt un expert en la matière. Une fois, après un pet particulièrement sonore, j'avais expliqué à Roxanne que ça voulait dire «je t'aime» en serbo-croate. Elle n'a pas voulu me croire.

Durant la nuit, je suis éveillé par un léger bruit. Quelque chose qui bouge dans la chambre. Quelque chose de plus gros qu'une coquerelle, je veux dire...

Pendant un instant, je pense que Steve cherche un truc dans son sac à dos: un tee-shirt, sa brosse à dents, un livre...

Puis, je me tourne et j'aperçois sa silhouette dans son lit... Mais... mais alors... Ça veut dire qu'il y a quelqu'un d'autre que nous deux dans la chambre!

Mon pouls se met à battre la chamade pendant que j'essaie d'habituer mon regard à l'obscurité pour savoir où se trouve cette présence étrangère.

Et s'il était armé? Ne serait-il pas préférable de faire le mort tout de suite plutôt que risquer de le devenir dans quelques instants? Si au moins Steve pouvait se réveiller.

Mon cœur bat si fort que le malfaiteur va bien finir par l'entendre. J'essaie de me contrôler du mieux que je peux. Je me dis qu'il faut récupérer mon arme. Pas pour tirer, juste pour lui faire peur, le faire déguerpir.

Le visiteur poursuit ses recherches. Je sursaute lorsque j'entends un froissement de papier. Le paquet!

L'individu veut s'emparer du cadeau de la vieille!

D'un seul mouvement, je bondis du lit et j'agrippe le malfaiteur. Il se débat, mais je constate rapidement qu'il est plus costaud que moi.

— Steve! Réveille-toi. Viens m'aider, merde!

L'homme réussit à m'assener un bon coup de poing sur la tête.

— OUILLE!

Je lâche prise et l'intrus parvient à s'échapper. Réveillé par l'altercation, Steve allume la lampe de chevet.

— Marc-André! Qu'est-ce qui se passe? Es-tu blessé?

— Non, dis-je en portant la main à ma tête et en essayant péniblement de me relever.

Ayoye. Ça fait plus mal que je pensais et les étoiles dansent sous mes yeux. J'ai le tournis.

Steve court à la fenêtre.

— Je vois bien quelqu'un qui s'enfuit, mais il fait trop noir.

Me traînant vers mon lit pour retrouver mes esprits, je prends appui sur la table de nuit.

— *Shit!*

— Qu'est-ce qu'il y a? demande Steve, inquiet.

— Ce salaud m'a volé ma montre.

Steve jette un coup d'œil nerveux en direction de sa propre table de nuit.

— Ah non! gémit-il.

— Quoi?

— Il s'est poussé avec le fric, fait Steve en montrant l'enveloppe brune vidée de son précieux contenu.

Je fouille dans mon sac à dos.

— Il a volé le revolver aussi.

— On est foutus, murmure Steve en cachant son visage dans ses mains. On est finis. On n'a plus un sou vaillant.

— Attends, avant de lancer la serviette.

Je vérifie dans la cachette de mon sac à dos: une petite poche discrètement cousue sous l'ancienne feuille d'érable. Ah, avec leurs mille et un recoins, les sacs d'armée peuvent être bien pratiques...

— Qu'est-ce que tu cherches? s'informe Steve.

— YAOU!

J'oublie que j'ai la cervelle en compote, j'exécute quelques pas de danse et j'exhibe fièrement sous le visage médusé de Steve une liasse de billets de banque. Des dollars canadiens d'accord, mais des dollars quand même...

— C'est un emprunt que j'ai fait à mon père avant de quitter la maison. Dieu merci, il nous reste cet argent.

J'embrasse les billets.

— Merci, Gérald Racine, je ne pensais jamais que tu me viendrais en aide pendant ce voyage.

Steve partage mon enthousiasme avant de retrouver son sérieux.

— On devrait peut-être signaler le vol au propriétaire du motel. Qu'en penses-tu?

Je réponds en continuant de me frotter la tête.

— Mieux vaut tenir ça mort, Steve. Je n'ai pas tellement confiance au bonhomme. Au mieux, il appellera la police et nous ne voulons pas rencontrer ces gens-là. Au pire, c'est lui-même qui a fait le coup.

— Ouais, tu as peut-être raison. Toi, ça va, le coco?

— Ça pourrait aller mieux. Au moins, je ne saigne pas.

— Méfie-toi. C'est parfois plus grave encore quand il n'y a pas de sang. Je cours te chercher de la glace.

Surpris par tant de sollicitude de la part de Steve, je vérifie si le paquet de la vieille se trouve toujours sous le lit. Il y est.

Steve revient bientôt avec un seau de glaçons. Faute de verrou plus efficace, il applique une chaise contre la porte.

Je me recouche, un sac de glace sur la tête, le cadeau de la vieille tout contre moi. Je repasse mentalement la scène qui vient de se dérouler.

Steve éteint. Le sommeil mettra de longues minutes, sinon une bonne heure, avant de venir me gagner. Mon mal de tête se dissipera lentement, comme un brouillard tenace.

Le lendemain matin, j'ai un mal de bloc.

Je vérifie l'état de ma caboche. J'ai une belle grosse bosse sensible. C'est pire que je pensais. Il va falloir que je passe à la pharmacie.

Nous quittons de bonne heure pour ne pas avoir à rencontrer le propriétaire du motel. Nous allons déjeuner dans un petit restaurant pas très loin de là.

Comme nous sommes aux États-Unis, Steve verse du ketchup sur ses œufs. Je trouve ça absolument dégoûtant. À côté de nous, un homme en forme de tonneau avale un steak pour déjeuner, tandis que sa femme à la silhouette de bétonneuse engloutit des crêpes de trois pouces d'épaisseur. Renversant la quantité de bouffe qu'ils parviennent à engouffrer. En ce pays, les gens prennent chaque repas comme si c'était leur dernier.

Nous sortons du casse-croûte et allons récupérer nos affaires.

— Si tout va bien, dit Steve, on dormira à Cleveland ce soir.

Un automobiliste d'à peu près notre âge s'arrête pour nous. Il conduit une Mustang décapotable, un ancien modèle en parfait état: carrosserie rutilante, sièges de cuir impeccables, tableau de bord en bois naturel, moteur ronronnant. Un pur bijou de mécanique américaine. De deux choses l'une: ou ce gars-là vient d'une famille aisée et cette voiture appartient à son papa, ou c'est un bandit et la voiture a été volée. Dans un cas comme dans l'autre, il n'en est pas le propriétaire immédiat.

Steve et lui parlent de choses et d'autres. De musique surtout. Ils s'accordent sur leurs goûts. La musique: voilà encore le meilleur moyen de lier connaissance, de se frayer un chemin entre les obstacles linguistiques et culturels qui nous séparent des gens. Steve déteste pourtant les jeunes parvenus avec des têtes de fils à papa. La musique le lui fait oublier.

À la radio, on joue *Mustang Sally*.

— C'est la version de Wilson Pickett, fait remarquer Steve. La meilleure à avoir jamais été enregistrée.

Cleveland. Nous pourrons nous délester du cadeau de la vieille. Je ne suis pas mécontent parce qu'il commence à me peser.

Un bienveillant automobiliste, trop heureux d'échanger quelques mots de français avec nous, quitte gentiment la grande route pour nous déposer en ville.

— Au re-voir, baragouine-t-il en nous laissant devant le bureau d'informations touristiques du centre-ville.

À quoi ressemble Cleveland? Difficile à dire. À une grosse ville américaine. Ça ne vous aide pas? Imaginez quelques tours à bureaux en verre qui se mirent dans l'eau d'un grand lac gris, le lac Érié en l'occurrence. Imaginez aussi une ville où il vente tout le temps. Une ville peuplée de citoyens blancs et noirs. Les Blancs sont assis dans leur voiture, en route vers les banlieues qui ceinturent la ville. Les Noirs sont dans la rue. Celle qui ne mène nulle part...

Sur la carte de la ville, nous cherchons le nom d'une avenue. Pas évident.

Un homme et une femme, vêtus d'habits neufs et portant mallettes à la main, s'approchent de nous. La femme nous adresse la parole:

— Savez-vous que Jésus vous aime?

— Peut-être, mais c'est pas ce qui va nous aider à trouver notre chemin.

Sans se faire prier, le couple de témoins de Jéhovah (ils appartiennent à ce groupe, j'en mettrais ma main au feu) nous montre la voie à suivre pour nous rendre à l'adresse voulue. Sympathiques tout de même, ces chrétiens. Y'a pas à dire. Ils ajoutent quelques recommandations pour accéder le plus rapidement possible au paradis. Qu'il faut y penser tandis qu'on est jeunes, etc. Les mêmes arguments qu'utilisent les vendeurs d'assurance-vie. Ils nous remettent de la documentation imprimée sur du papier bon marché. C'est sans engagement de notre part.

— Merci.

— Merci beaucoup, là...

Nous réussissons à nous en séparer.

Fiou.

Après une promenade dans les rues de Cleveland et une ou deux mésaventures — nous sommes descendus trop tôt de l'autobus et il a fallu franchir un viaduc sans couloir prévu pour les piétons —, nous arrivons enfin à la bonne adresse.

À voir l'allure de la maison, une petite unifamiliale construite en bois et dont la peinture est toute pelée, nous excluons presque automatiquement la possibilité d'une grosse récompense. Un autre billet de vingt dollars ne serait pas de refus toutefois.

Sur la galerie, nous déposons nos bagages. Je ne garde que le colis de Noël entre mes mains.

Steve me fait signe d'y aller. J'appuie sur la sonnette.

Un chien aboie à l'intérieur et une voix de femme lui ordonne de se taire. La porte s'entrouvre. On ne voit qu'un œil gris et une mèche de cheveux blancs dans l'entrebâillement. La voix nous demande qui nous sommes et ce que nous faisons là.

Pour l'hospitalité, il faudra repasser.

J'explique tant bien que mal à l'œil qui nous observe la raison de notre présence sur ce porche. Je montre le paquet et le tend devant moi comme pour l'offrir. L'œil continue de nous toiser, puis, après quelques secondes de silence, la serrure joue et la porte s'ouvre enfin.

Nous entrons dans une pièce sombre et poussiéreuse. Au-dessus du divan du salon: une photo du pape. Derrière la porte, un petit bout de femme aux joues creuses, un châle jeté sur les épaules. Elle ressemble beaucoup à la vieille de l'autobus et doit avoir à peu près le même âge. Aucun doute que les deux bonnes femmes sont parentes. Peut-être des sœurs.

Je lui remets le cadeau. La vieille cherche en vain l'adresse d'un expéditeur. Il n'y en a pas. Elle commence à déballer le paquet. Nous la regardons attentivement. Puis, elle se rend compte de sa distraction et nous offre quelque chose à manger. Nous acceptons plus par gêne que par envie réelle. La seule chose qui nous intéresse vraiment à présent, c'est de savoir ce que contient cette foutue boîte à chaussures.

Pendant qu'elle court à la cuisine, le chien s'approche du paquet pour le renifler. Il quitte ensuite la pièce en geignant. Steve et moi, on se regarde sans comprendre.

La bonne femme revient de la cuisine, nous sert des biscuits secs et du lait tiède dans des verres de plastique aux couleurs délavées. Nous mangeons pendant qu'elle continue de scruter son paquet dans tous les sens. Pressée, elle finit d'ouvrir la boîte avec ses ongles.

Surprise!

À l'intérieur, elle découvre un sac de plastique transparent. Qui contient quoi? Un énorme rat. Mort évidemment! Probablement empaillé pour qu'il ne dégage pas d'odeur trop forte.

Une poussée de rage s'empare de la vieille. Elle se lève de son fauteuil, nous houspille, puis empoigne un balai pour nous chasser de son salon. Je fais signe que nous ne sommes pas responsables, que nous agissons simplement comme des porteurs de paquets... Rien n'y fait.

Plutôt que de nous écouter, elle appelle du renfort et son chien vient à la rescousse. Nous avons tout juste le temps de reprendre nos affaires sur la galerie et de déguerpir illico avant que la vieille n'ameute tout le quartier.

Nous courons comme des voleurs à la tire. Le chien est toujours à nos trousses au coin des rues suivantes. Il mord le sac de Steve, mais lâche prise lorsque sa maîtresse le siffle pour qu'il revienne à la maison. Quelques rues plus loin, nous nous arrêtons pour reprendre haleine.

Steve est pris d'un immense fou rire.

— Et dire que tu pensais toucher une récompense... Hi, hi, hi... Que nous sommes revenus sur nos pas pour récupérer ce paquet dans le fossé... Ha, ha, ha... Que tu as failli te faire assassiner la nuit dernière à cause de ce maudit cadeau... Hi, hi, hi...

— Tout ça pour quoi?

— Pour ce qui ressemble à une histoire de vengeance entre deux vieilles sœurs folles qui se détestent, dit Steve en retrouvant peu à peu son calme. Dans la mafia, on envoie un rat mort à quelqu'un pour l'avertir qu'il lui arrivera malheur. J'ai lu ça quelque part ou j'ai vu ça dans un film, je ne me souviens plus exactement.

— Remarque qu'on est quand même chanceux. La bonne femme aurait pu faire une crise cardiaque et nous crever entre les mains. Te vois-tu en train d'expliquer ça à un agent de police?

— On aurait trouvé ça moins drôle.

Au moment où justement l'on parle de la police, voilà qu'une voiture de patrouille avance lentement dans la rue. Un agent nous observe derrière ses verres fumés. Nous regardons ailleurs, mais la voiture s'immobilise près de nous.

— Merde, lance Steve. Ça sent les ennuis.

Le policier descend de sa voiture et marche en notre direction. Il retire ses lunettes fumées et nous demande, avec la plus grande candeur, où se trouve l'avenue Lincoln. Imaginez! Il est perdu! Dans sa propre ville.

— Désolé, nous ne sommes pas d'ici, explique Steve.

— Ah! non? D'où alors?

Est-ce une ruse de policier? Cet agent est-il à notre recherche? À **ma** recherche? Va-t-il me passer les menottes qui pendent à sa ceinture?

Steve ne se méfie pas et répond que nous sommes de Montréal.

Le policier, qui regrette de nous avoir importunés, nous salue et nous souhaite une bonne fin de voyage.

Nous poursuivons notre chemin, ponctué d'éclats de rire nerveux.

Morale de ce chapitre: ne venez pas chercher fortune à Cleveland. Vous risqueriez d'être bien déçu.

Kentucky: 120 milles. C'est écrit en grosses lettres blanches fluorescentes sur le panneau de signalisation.

— Nous ne sommes plus qu'à un jet de pierre de notre objectif.

— Cent vingt milles, Steve! C'est quand même un jet de pierre de champion olympique!

Assis à l'arrière d'une familiale, je tiens compagnie à un enfant installé dans son siège de bébé. Il dort en suçant son pouce et en serrant son toutou contre lui. Quelques instants plus tard, je l'imite. Sans toutou toutefois.

Je suis réveillé par un cri strident.

— OUINNNNNNNN!!!

Une sirène de pompier? Non. Le hurlement du bébé, alors? Oui.

En ouvrant les yeux, le poupon a senti une présence étrangère près de lui. Visiblement, il n'a pas apprécié. De grosses larmes coulent le long de son petit visage tout rond.

Sa mère jette un coup d'œil inquiet dans le rétroviseur.

Je me sens dans mes petits souliers. Je me colle contre la portière, j'essaie de sortir du champ de vision du bébé. Steve me lance un regard courroucé. Comme si j'y étais pour quelque chose!

— Il doit avoir faim, dit la mère d'une voix rassurante. Ce n'est pas ta faute.

Moi aussi, je suis affamé, mais je ne cherche pas à défoncer les tympans de mes proches pour autant...

Les pouces se suivent mais ne se ressemblent pas. Après la mère de famille, nous voici en compagnie d'un hippie nostalgique des années soixante-dix. Il conduit un Volks datant à peu près de la même époque.

Il répond au portrait type du hippie: cheveux longs, lanière de cuir au front, chemise psychédélique, sandales aux pieds...

Il demande à Steve de fouiller dans son coffre à gants pour lui donner son paquet de cigarettes. Il en extrait un petit rouleau tout aplati qu'il porte à ses lèvres.

À la première bouffée, ça se sent, il n'y a pas que du tabac dans cette foutue cigarette...

Le hippie passe le joint à Steve, puis c'est mon tour. Bah! Puisque même les chefs d'État se vantent d'en avoir déjà fumé, quel mal peut-il bien y avoir à les imiter? Je tiens à préciser toutefois que je n'ai aucune ambition politique. Mettez ça dans votre pipe, d'accord!

Un autre pouce et nous voilà déjà à Cincinnati, que nous contournons en empruntant une autoroute à cinq voies. La ville de Cincinnati se trouve à cheval sur la rivière Ohio. Et cette rivière a la bonne idée de séparer l'Ohio du... Kentucky.

En sortant de Cincinnati par l'autoroute 75, nous entrons enfin au Kentucky.

Welcome to the Bluegrass State, annonce le panneau du gouverneur. L'État de l'herbe bleue. Jolie devise.

Steve affiche un sourire triomphant.

— Je commençais à me demander si nous arriverions jamais, dit-il.

— Et moi donc?

Nous avons mis cinq jours pour y parvenir. Il était temps. Nos finances commençaient à s'épuiser. Surtout depuis l'incident du motel.

Nous nous serrons la main, à la manière des Noirs. Notre conducteur, à qui Steve a expliqué le but de notre voyage, partage notre joie spontanée. Il quitte bientôt la grande route pour nous montrer fièrement la paisible campagne du Kentucky.

La région est vallonnée. Pas de grosses montagnes à couper le souffle, non, mais de jolies collines couvertes d'herbe.

Après tous ces kilomètres, je suis bien content de voir à quoi il ressemble, ce fameux Kentucky. Je ferme les yeux pour essayer d'en fixer l'image dans ma mémoire. Il paraît que ça marche parfois...

— L'herbe n'est pas vraiment bleue, fait remarquer Steve. C'est de la publicité trompeuse!

L'automobiliste sourit et explique aimablement.

— Au printemps, lorsque le gazon est en fleur, il produit des bourgeons qui lui donne une teinte légèrement bleutée...

Croyons-le sur parole.

— Le bluegrass, demande Steve, c'est aussi une sorte de musique, non? Une branche du western?

— Exact et c'est même une marque de commerce du Kentucky, nous informe l'automobiliste.

Je mets ici un léger bémol à mon enthousiasme. Si le paysage est agréable, pas de doute là-dessus, il en va tout autrement de l'allure de plusieurs bâtiments qui bordent la route. Des fermes abandonnées, des bicoques déglinguées avec des réfrigérateurs sur la galerie, de vieux *pick-up* mangés par la rouille, des chiens qui courent après les voitures.

Notre conducteur nous dépose dans un village qui s'appelle Williamstown. Inutile de regarder sur une carte. C'est beaucoup trop petit.

Nous allons manger un morceau dans le seul restaurant de l'endroit. Murs de contreplaqué, tables bancales en arborite ébréché, lustres en forme de roues de charrette... Une dame nous apporte le menu.

Le menu? Disons qu'il s'agit d'une feuille de papier dans une enveloppe de plastique. J'y trouve même des erreurs typographiques.

Steve demande à la serveuse à combien de kilomètres se trouve Lexington. La dame répond gentiment, mais on ne comprend pas vingt pour cent de ce qu'elle nous dit. Son accent est nasillard et ses mots sonnent comme des onomatopées. Impossible à décoder.

— Pas de doute possible. On est dans le sud!

En sortant du restaurant, je me procure quelques cartes postales dans ce qui s'appelle ici un *convenient store*, que l'on connaît mieux chez nous sous le nom de dépanneur.

Nous marchons jusqu'aux portes d'un petit bar — plutôt un *saloon* — où l'on nous demande nos cartes d'identité avant de nous servir.

— On les a oubliées à la maison, explique Steve avec toute l'intensité dramatique qu'il peut mettre dans son mensonge.

— La limite d'âge est fixée à 21 ans pour consommer, tranche le barman.

— Vingt et un ans? Êtes-vous sérieux?

Rien à faire. On ne peut même pas jouer au *pool*. Le barman nous invite à quitter l'établissement. Les clients nous regardent nous éloigner avec l'air soupçonneux des gens des campagnes pour tout ce qui est étranger à leur univers immédiat. Nous passons pour des perdus, des jeunes blancs-becs qui se sont sûrement trompés de chemin.

— Le plus comique, dit Steve, c'est qu'ils osent appeler leur bière de l'alcool quand tout le monde sait qu'elle ne contient pas beaucoup plus d'alcool que de la bière d'épinette...

Nous trouvons un site où planter notre tente, près d'une cour de triage de trains de marchandises. J'ai déjà vu mieux comme endroit, mais, ici au moins, on ne risque pas d'être dérangés. Je souhaite juste que les trains sauront se montrer discrets...

Il y a encore suffisamment de lumière pour que j'écrive une carte postale à mes parents.

KENTUCKY
Kentucky is known all over the world for its beautiful horses.

Lucky Prints

29 USA
Kentucky
1792

Chers parents,
Nous venons d'arriver au Kentucky. Ici, c'est le royaume des pur-sang. Voici d'ailleurs une photo de Steve et moi, peu après notre arrivée – je suis à gauche. L'air du Kentucky nous métamorphose ! Ce doit être l'effet du bon bluegrass...
Bon été
Marc-André qui pense (des fois) à vous.

M. et Mme Racine
65, 80e avenue
Ville de Lasalle
Québec, Canada
H8R 2S8

P.-S. Salut, Alexandre.

Kentucky

Inutile de leur raconter mes mésaventures. Ça donnerait quoi, mis à part les inquiéter? J'ai préféré adopter un ton humoristique qui fera peut-être sourire ma mère. Sûrement pas mon père qui ne rit jamais.

Je m'apprête à poursuivre ma lettre à Roxanne, celle qui commençait par «Roxanne chérie». Je continue par:

«Je viens d'arriver au Kentucky. Tu me manques.»

Devrais-je ajouter «beaucoup»? «Tu me manques beaucoup», il me semble que ça sonnerait mieux. Affirmatif.

«Tu me manques beaucoup.»

Je l'entends réagir:

«Si je te manque tant que ça, tu n'avais qu'à m'amener avec toi!»

Touché.

J'interromps à nouveau la rédaction de cette lettre. Je la poursuivrai une autre fois.

Je me glisse sous la tente. Steve est déjà allongé.

— Tu te couches bien de bonne heure?

— Je veux être en forme pour rencontrer mon père. J'aimerais lui faire bonne impression, tu comprends?

Faire bonne impression à mon père? Drôle d'idée... Une mèche que ça ne m'a pas traversé l'esprit. Ça donnerait quoi, de toute façon?

Steve ne parle pas beaucoup ce soir. Je crois qu'il est ému. Ému d'être arrivé à bon port après cette longue route. Ému aussi de se trouver aussi proche de son paternel. Je respecte ses états d'âme et je le laisse rêvasser en paix.

— Réveille-toi, Marc-André. On va manquer le train!

— Le train? Quel train? que je bredouille.

— Le train pour Lexington, c't'affaire? Tu ne l'entends pas?

Effectivement, en prêtant l'oreille, je distingue le bourdonnement d'une locomotive près de nous.

— Dépêche-toi. Ramasse tes affaires pendant que je démonte la tente.

— Mais on n'a pas de billets?

— Pas besoin. C'est un train de marchandises. Il doit transporter du charbon ou du minerai de fer. Ou mieux encore, du bétail, comme dans les westerns.

Décidément, le soleil du sud des États-Unis tape fort sur la cervelle de Steve. Il devient complètement gaga.

J'obéis à contrecœur aux ordres de mon camarade lorsque tout à coup le train démarre et que Steve part à sa course.

— Vite, Marc-André! Grouille-toi!

J'entasse en vitesse mes affaires dans le sac et je m'élance vers le train, en évitant autant que possible de buter sur les cailloux qui bordent la voie ferrée.

En quelques enjambées, malgré son sac à dos, sa guitare et la tente qu'il porte sous le bras, Steve rattrape le wagon de queue. Il me tend la main et je réussis moi aussi à grimper. Nous empilons nos bagages sur la plate-forme.

Je reprends mon souffle.

— Es-tu certain que le train va dans la bonne direction au moins?

— Non.

— Hein?

— Je ne suis pas sûr, non.

La campagne est si belle, l'arrière-pays si paisible que Steve et moi n'avons même pas envie de nous disputer. Nous regardons les collines et les vallons se succéder, tandis que le train avance lentement, comme s'il traînait derrière lui un fardeau trop lourd ou qu'il faisait le trajet pour la première fois, un peu à l'aveuglette.

Bientôt, une petite ville se profile à l'horizon. Lexington, fort probablement. Steve ne manque pas de me le signaler.

— On approche du but.

Lexington n'a rien d'une grande métropole. Ce n'est ni Buffalo, ni Cleveland, ni Cincinnati mais plutôt une petite ville provinciale, de la taille de Hull peut-être, avec quelques édifices en hauteur, des parcs, des magasins... Rien de bien extraordinaire à signaler.

Dès notre arrivée à la gare, Steve s'informe du lieu où se trouve la ferme de son père.

Les trois premières personnes que nous abordons ne connaissent pas l'écurie Greenwood. Nous avons plus de chance avec le quatrième type, un grand gaillard sympathique, chiqueur de tabac.

— Greenwood! Bien sûr que je connais cette écurie. Je les approvisionne en fers à cheval! C'est une excellente ferme d'élevage d'ailleurs. L'une des meilleures du *county*, je dirais. Surtout depuis qu'ils ont réglé leurs problèmes... Mais c'est déjà une vieille histoire...

Il consulte sa montre.

— Mais j'y pense! Nous devons leur livrer une commande dans une petite heure et demie. Vous voulez y aller?

— Fantastique!

— Rendez-vous ici à midi alors.

Steve est tout excité.

— Tu n'as pas eu la curiosité de lui demander s'il connaissait ton père?

— Pourquoi faire? Tout le monde sait qui est mon père dans cette ville.

— Il a parlé des problèmes de Greenwood. Qu'est-ce qu'il voulait dire au juste? Ton père a-t-il eu des ennuis?

— Je te ferai remarquer, Marc-André, qu'il a pris la peine d'ajouter que ces petits problèmes avaient été réglés. Cesse donc d'être toujours aussi pessimiste. C'est agaçant à la longue.

À l'heure convenue, notre ami nous invite à déposer nos affaires dans sa camionnette.

En sortant de Lexington, il prend une petite route qui mène aux fermes de la région. Des fermes? Disons plutôt des domaines boisés, ceinturés de murs de pierre. Dans les enclos, les chevaux broutent tranquillement de l'herbe.

Les propriétaires se sont donné le mot, car les clôtures sont toutes peintes en blanc, ce qui procure une jolie unité à l'ensemble. Mais ça ne doit pas être une sinécure que de repeindre le tout. Il y en a des kilomètres et des kilomètres...

Notre conducteur fournit diverses explications en pointant du doigt des champs et des chevaux. Il parle trop vite pour moi. Steve, lui, est trop nerveux pour écouter vraiment.

Nous arrivons à Greenwood.

L'écurie comprend plusieurs bâtiments où, j'imagine, on loge les chevaux. Nous remercions notre ami chiqueur et nous nous dirigeons, avec tous nos bagages, vers les bureaux administratifs. *The Office.*

Les bureaux ne sentent pas l'écurie. Au contraire, la moquette est moelleuse, les meubles sont modernes, la réceptionniste est blonde. Derrière les portes vitrées des bureaux, des hommes en cravates et des femmes en tailleurs pitonnent sur des ordinateurs, enfermés dans leurs cages climatisées. Nous nous essuyons les pieds sur le paillasson.

— Wow! C'est ton père qui a créé tout ça?

Steve est aussi surpris que moi.

Il s'approche de la réceptionniste. Gloria, si on se fie au petit écriteau doré posé devant elle. Elle sourit exagérément comme le font souvent les Américaines. Steve s'adresse à elle avec son anglais du dimanche.

— *I want to see the big boss...*

— *You need an appointment for that*[10]...

— Je n'ai pas besoin de rendez-vous, poursuit Steve. Dites au patron que son fils est à la réception.

Gloria fronce les sourcils. Elle toise Steve des pieds à la tête, avant d'ajouter qu'il doit sûrement faire erreur.

— Allez voir votre patron. Parlez-lui de Montréal et des Jeux olympiques, il comprendra, dit Steve avec assurance.

Intriguée par les propos de Steve, Gloria nous demande de patienter un moment.

---

10. — Je désire rencontrer le grand patron...
— Il faut un rendez-vous pour ça.

— Aucun problème, fait Steve. Ça fait quinze ans que j'attends. Alors, quelques minutes de plus ou de moins, vous savez...

Elle tourne les talons, se dirige vers le bureau du fond du couloir, cogne discrètement à la porte avant d'y pénétrer.

Après quelques secondes à peine, la réceptionniste revient vers nous, ayant recouvré son sourire du début.

— Monsieur McCain ne comprend absolument pas de quoi tu veux parler. Il fait dire qu'il n'a jamais mis les pieds à Montréal, mais qu'il aimerait bien, par contre, y aller un jour.

— Monsieur McCain? Comment ça, monsieur McCain? Le patron de cette écurie ne s'appelle pas monsieur Russell?

— Russell? Jimmy Russell?

— Oui, Jimmy Russell.

— Effectivement, nous comptons bien un Jimmy Russell à l'emploi de Greenwood.

— À l'emploi? Vous voulez dire qu'il n'en est pas le propriétaire?

La réceptionniste ne parvient pas à retenir un petit rire sec et nerveux.

— J'ai bien peur que non, jeune homme!

— Où est-ce que je pourrais le trouver?

— Maintenant?

— Tout de suite, oui. C'est urgent.

Elle vérifie sur un grand tableau magnétique où sont inscrits les noms des employés avec la mention «in» et «out».

— À l'écurie numéro quatre. Je peux lui demander qu'il vienne à ta rencontre, si tu veux...

— Inutile! Je préfère le rejoindre moi-même.

La réceptionniste nous remet une copie du plan des écuries.

Sans la remercier, Steve sort du bureau en toute hâte. Je presse le pas. Je ne veux pas manquer la rencontre du père et du fils Russell.

Sur le chemin de terre battue qui mène aux écuries, nous croisons quelques pur-sang menés par leurs palefreniers. Voilà les bâtiments un, deux, trois... Hors d'haleine, nous arrivons devant le bâtiment numéro quatre.

La porte est entrebâillée. Un homme en bleu de travail nous fait dos et brosse vigoureusement les flancs d'un cheval.

Steve s'éclaircit la gorge et l'homme se tourne vers nous.

HEIN!

J'ai l'étrange sentiment de me trouver en face de Steve... dans vingt ans. La ressemblance est trop frappante: la même tête frisée, mais tirant davantage sur le gris que sur le blond, le même menton en galoche...

Aucun doute possible. Il s'agit bien du père de Steve.

— Je peux vous aider? demande l'homme dans un anglais impeccable, en nous regardant à tour de rôle.

Steve ouvre la bouche, mais pas un seul son ne parvient à en sortir.

Tout à coup, le regard de Jimmy Russell s'illumine. Encore une chose que lui et Steve ont en commun. **IL VIENT DE COMPRENDRE.**

Sa brosse lui tombe des mains. Jimmy Russell ouvre ses bras pour y accueillir son fils. La scène a quelque chose d'émouvant. Steve est tenté de s'y jeter, mais, au dernier moment, il freine son geste et se rebiffe. Cré Steve, va! toujours le même.

— Ben, qu'est-ce que tu as? demande Jimmy. Viens...

— Pourquoi tu nous as abandonnés? reproche-t-il à son père.

La remarque frappe. Jimmy Russell laisse tomber les bras.

— Tu nous as menti, à maman et à moi, renchérit Steve.

— Menti?

— Tu n'as jamais été autre chose qu'un petit palefrenier de merde alors que tu prétendais avoir gagné des millions avec cette écurie.

— Laisse-moi t'expliquer, jeune homme...

— Jeune homme! Tu ne te souviens même pas du nom de ton propre fils! Tu m'écœures, Jimmy Russell. Tu nous as stupidement abandonnés, maman et moi, et tu n'as même pas été foutu de réussir ta vie comme du monde. Tu n'es qu'un minable, un pauvre type, un... un *looser*! Voilà ce que tu es. J'ai honte d'être ton fils.

Quand vient le temps d'engueuler quelqu'un, on trouve toujours les mots qu'il faut. Même dans une langue qu'on ne maîtrise pas parfaitement.

Puis se tournant vers moi, Steve ajoute:

— Viens-t'en Marc-André, on s'en retourne à Montréal.

— Pardon?

— On rebrousse chemin.

— Tu as complètement perdu la boule, Steve Russell. On n'a pas fait deux mille kilomètres sur le pouce pour que tu viennes engueuler ton père pendant trente secondes. C'est pas vrai! Si c'est ce que tu voulais vraiment, tu aurais pu tout aussi bien le faire au téléphone. Tu n'avais pas besoin de moi pour ça.

— Il n'y a plus rien qui me retient ici. Le voyage est terminé. Fais ce que tu veux, moi je m'en vais!

J'attrape Steve par les épaules et je le secoue.

— Laisse-lui au moins la chance de s'expliquer, Steve. Fais preuve d'un peu de bon sens pour une fois dans ta vie!

Par un léger signe de tête, Jimmy Russell m'indique qu'il apprécie mon plaidoyer.

Tête baissée, Steve réfléchit. Jimmy guette les réactions de son fils du coin de l'œil.

Je dis:

— Bon, ben moi, je vais voir les chevaux. Profitez-en donc pour faire la paix, vous deux.

Me voilà qui joue au médiateur à présent.

Il est vrai que l'on pardonne plus aisément aux parents des autres qu'aux siens. C'est toujours plus facile de se montrer compréhensif et conciliant envers les gens avec qui l'on ne partage pas les mêmes chromosomes...

En attendant, je m'assois par terre contre l'écurie. Je mâchouille un brin d'herbe. Il ne me manque plus qu'une casquette verte de *John Deere* pour compléter mon déguisement de parfait fermier du Kentucky.

Bon. Mettons de l'ordre dans les dernières journées qui ont été assez mouvementées, merci.

D'abord, Steve et son père se sont parlé et réconciliés. Avec pour conséquence que nous avons décidé, Steve et moi, de rester au Kentucky. Voilà.

Nous habitons chez Jimmy, dans une petite maison qu'il loue à Lexington, à l'ouest de la ville et à deux pas du cimetière. Une maison pas vraiment spacieuse, ni très moderne, avec des planchers qui ne sont pas de niveau et des fenêtres à guillotine qui ne ferment pas parfaitement. Ça ressemble un peu à chez Steve. C'est peut-être pour cette raison qu'il s'est senti ici spontanément chez lui. Pas moi.

Enfin, nous y sommes un peu à l'étroit, mais au moins, j'ai un toit, un toit permanent, un toit qui prend moins l'eau que la tente de Steve. Et Jimmy possède une machine à laver. Je me doutais bien, aussi, que quatre paires de bobettes ne suffiraient jamais à la tâche...

Deux ou trois choses sur Jimmy.

D'abord, une précision importante. Il y a quelques années, Jimmy a bel et bien été propriétaire de l'écurie Greenwood. À l'époque, l'entreprise n'était pas aussi florissante qu'aujourd'hui. Mais les chevaux de Jimmy couraient dans les meilleurs hippodromes d'Amérique et lui rapportaient de l'argent qu'il réinvestissait aussitôt dans l'achat d'autres poulains. Jimmy avait réussi à monter une jolie petite affaire.

Mais tout cela, c'était avant que les tuiles ne se mettent à lui tomber dessus. Tout a commencé par des fractures aux pattes de deux de ses meilleurs pur-sang. Qu'est-ce qu'on fait quand ça arrive? Assez souvent, on abat les bêtes. Ces deux chevaux ont terminé leur carrière au frais, dans un étal de boucherie chevaline.

Puis, d'autres pur-sang ont contracté une étrange pneumonie. Une fois cette curieuse épidémie enrayée, Jimmy n'était pas encore au bout de ses peines. Eh non!

Car pour renflouer ses coffres, Jimmy s'est mis à parier de gros montants sur ses chevaux. Quelquefois, il gagnait, mais, le plus souvent, l'inverse se produisait... Et lorsqu'il perdait, il lui fallait parier davantage la fois suivante pour éponger ses déficits. Il a fini par risquer de grosses sommes...

— Combien? a demandé Steve.

— J'ai déjà gagé quinze mille dollars sur un cheval.

— QUINZE MILLE DOLLARS!

Steve et moi, nous nous sommes regardés.

— J'étais sûr de gagner...

— Et qu'est-ce qui est arrivé?

— Mon cheval a mené tout le long, mais il a ralenti et il s'est fait distancer dans le dernier droit. Mes quinze mille beaux dollars se sont volatilisés en l'espace de quelques secondes...

À ce rythme, Jimmy a fini par accumuler de lourdes dettes de jeu. Il se trouve toujours des gens pour vous prêter de l'argent dans ces moments-là. Mais pas à n'importe quel taux, par exemple...

On dit que le malheur n'arrive jamais seul. C'est vrai. Ni même en couple d'ailleurs. Le malheur est grégaire. Il vit en groupe, il est mal élevé et il joue du coude pour être le premier sur la ligne de départ. En piste pour la grande course du malheur...

Comme si tout ce qui avait précédé ne suffisait pas, Jimmy s'est trouvé mêlé à une histoire de dopage de chevaux. Le genre de scandale qui ne pardonne pas au Kentucky. Les analyses sanguines ne laissaient planer aucun doute. Jimmy a tout de suite été incriminé, bien qu'il se soit défendu jusqu'à la toute fin. Il répète encore à qui veut l'entendre qu'il a été victime d'une machination, d'un complot pour l'éliminer. Il n'a jamais pu le prouver.

Il faut dire qu'il devait beaucoup d'argent à bien du monde, ce qui n'est pas toujours le meilleur moyen de se faire des amis. Jimmy a dû déclarer faillite et ses créanciers se sont rués sur les actifs de l'écurie.

— Alors, j'ai décidé de me faire oublier, raconte Jimmy. De rouler ma bosse aux États-Unis, d'occuper mille et un petits métiers...

— Mais tu as fini par revenir ici, observe Steve. Comme tu le fais chaque fois...

— Ici, je suis chez moi. Ailleurs, ce n'est jamais pareil.

Après avoir été propriétaire de Greenwood, Jimmy est retombé en bas de l'échelle. De la selle, devrais-je dire.

Souper chez Jimmy Russell. J'assiste à la confrontation de deux générations de têtes de pioche. En regardant le père, j'essaie d'apprendre des choses sur le fils. Et vice versa...

Nous sommes tous les trois assis autour de la table de cuisine. Devant nous, un carton de pizza. Il reste un morceau collé au fond de la boîte, mais personne n'ose le réclamer.

— C'est qui au juste, ce McCain? demande Steve en mordant dans une pointe de pâte dégoulinante de sauce tomate et de fromage.

— Un vétérinaire qui travaillait pour moi, dit Jimmy. Il a racheté l'écurie pour une bouchée de pain.

— Ça ne t'écoeures pas de travailler pour lui?

— Des fois oui, d'autres fois non. Il me fiche la paix et c'est tout ce que je lui demande. Les autres gars sont sympas avec moi.

— Tu ne dois plus d'argent à personne, j'espère...

Jimmy regarde son fils en souriant.

— Tu es pire que ta mère avec tes remontrances.

L'instinct du bagarreur, le désir de vaincre, Jimmy les a perdus. Pas difficile de voir qu'il a déjà dû être un tout autre homme. Son aventure l'a brûlé. Il en est sorti meurtri. Une blessure profonde que l'on ne peut distinguer à l'œil nu. Pour la trouver, il faudrait chercher dans les recoins de l'âme de Jimmy.

— Il faut te ressaisir, Jimmy. Tu vaux plus que ça...

— Écoute-moi bien, fiston. Quand le destin décide de s'acharner sur toi, quand il lui prend l'idée que c'est à toi qu'il en veut, à toi et à personne d'autre, il n'y a rien à faire, comprends-tu? Tu ne peux jamais gagner en essayant de te mesurer à lui. Ton destin est toujours plus fort que toi.

Un peu fataliste comme philosophie de vie. Peut-être est-ce l'influence des courses de chevaux? Un jour, tu gagnes gros, le lendemain, tu perds tout. Ainsi va la vie des parieurs et des hommes de chevaux... Les *horsemen* comme on les appelle.

Pendant qu'ils discutent, je saute finalement sur le dernier morceau de pizza.

— Après tous ces déboires, tu n'as pas eu envie de revenir à Montréal?

— J'y ai pensé. Mais j'avais honte de mon échec... Et je ne savais pas comment ta mère m'accueillerait. Je me disais qu'elle m'avait peut-être remplacé par quelqu'un de plus stable, de plus fiable que moi. Je sais que ce n'est pas facile d'être la femme d'un cowboy.

Il enchaîne:

— En tous les cas, moi, je n'ai jamais eu d'autre relation sérieuse depuis celle avec ta mère. J'ai continué de penser qu'un jour, vous viendriez vivre ici avec moi. D'une certaine manière, mon rêve se réalise en partie aujourd'hui...

Steve s'est amadoué depuis le premier contact à l'écurie numéro quatre. Aujourd'hui, il croit son père quand il lui raconte des histoires semblables. Moi, forcément, j'observe le tout d'un œil beaucoup plus sceptique.

Voilà pour la petite histoire de Jimmy Russell. La nôtre maintenant?

Nous sommes arrivés depuis une semaine et disons que les choses ne se déroulent pas exactement comme prévu. Commençons par le boulot. Ah! pour travailler sur place, on travaille sur place. Pas d'erreur. Mais pas aux salaires mirobolants que Steve promettait. On s'est rendu compte que Jimmy n'avait plus qu'un pouvoir d'influence bien limité sur le grand patron de Greenwood. Celui-ci n'a jamais voulu nous embaucher pour travailler aux écuries.

— Ils ne connaissent rien aux chevaux...

— Ils peuvent apprendre, a plaidé Jimmy.

— Et s'il leur arrivait quelque chose? Qu'un cheval rue sur eux ou qu'il les morde? Ou encore qu'il leur écrase le crâne d'un seul coup de sabot? C'est non! a rétorqué le patron. Trop dangereux!

McCain a cependant accepté de retenir nos services pour LA CORVÉE: peinturer les clôtures des enclos. C'est Jimmy qui nous a appris la «bonne» nouvelle.

— Toutes?

— Toutes, a répondu Jimmy.

— Mais... ça va nous prendre des années.

— Pas tant que ça, non.

Imaginez la scène. Vous vous pointez le nez dehors et tout ce que vous voyez, ce sont des centaines et des centaines de mètres de clôture à rafraîchir à l'aide d'un pinceau maigrichon. Je me sens comme un travailleur égyptien devant les plans de la pyramide de Khéops. Sûr qu'il va falloir plusieurs dynasties de peintres pour en venir à bout.

Au début, malgré le grand air, l'odeur de la peinture me montait à la tête. Les premiers soirs, j'avais mal au cœur. J'ai même vomi. Agréable, hein? Steve se moquait de moi, comme de raison.

— Petite nature, va.

Maintenant, je vais mieux. Sans doute parce que mes cellules grises les plus douillettes ont toutes été brûlées par les vapeurs d'alcool de la peinture.

Dire que j'aurais très bien pu accomplir le même genre de travail à ville Lasalle. Mon père m'aurait volontiers trouvé des jobines de peinture au chantier.

Je pensais m'occuper de chevaux. Je ne les vois que de très loin et je ne les connais pas plus qu'avant.

Quoique, j'ai découvert une chose sur eux. Ils ne font pas l'amour. C'est à cause des dangers de blessure. Au prix que valent ces étalons et les juments qu'ils fertilisent, on ne prend pas de risques. Tout se fait la plupart du temps à l'aide d'éprouvettes, de spéculums et de pipettes. Bref, on n'a plus les étalons qu'on avait. La majorité d'entre eux n'ont jamais l'occasion de voir de près une femelle. Bien à plaindre, ces étalons...

Autre grande nouvelle, vraiment surprenante celle-là.

Steve a rencontré quelqu'un. Plus exactement quelqu'une. Une jolie fille au teint d'olive. Noire, est-il besoin de le préciser.

Elle s'appelle Jessica et elle habite Lexington. Elle a de grands yeux doux et une belle voix traînante du Sud. Autre signe particulier: elle joue de l'harmonica. Steve et elle font des duos. Ça sonne assez bien.

La rencontre s'est déroulée par hasard dans un petit resto. Ils sont sortis et Steve lui a payé un cornet. Ils n'ont pas perdu de temps. Un peu comme nos voisins, dans l'autobus pour Toronto.

Évidemment, leur histoire d'amour n'est vieille que de quelques jours à peine. Mais c'est toujours au début d'une relation que chaque minute passée loin de l'être cher paraît une insupportable éternité, l'équivalent d'un match de baseball de treize manches qui se déroulerait entièrement au ralenti...

Je sais ce que c'est. Je suis passé par là, moi aussi.

Cela m'a bien sûr amèrement rappelé que ma blonde à moi n'habite pas Lexington, Kentucky, mais plutôt ville Lasalle, Québec. Depuis quelques jours, j'ai très grande envie d'elle. Envie de ses petits becs secs, envie de la serrer contre moi, de remplir mes poumons de son parfum si délicieux.

Elle me manque terriblement.

L'odeur de la peinture, l'odeur des écuries ne valent guère mieux que celles du *PFK* du boulevard Lafleur. En fait, je me sens condamné à vivre dans des environnements puants. Sans Roxanne toutefois ici pour m'en libérer.

Après le travail, je rentre chez Jimmy. Je ne connais personne dans cette ville et il n'y a rien à faire ici le soir. Deux ou trois salles de cinéma où l'on passe des films américains que j'ai déjà vus. C'est plus mort que ville Lasalle encore. Heureusement que le gîte ne me coûte rien parce que mes réserves d'argent sont quasiment à sec. Je n'ai pas eu de paye encore.

Sans argent, je n'ai plus les moyens de manger au restaurant. Alors, je me fais des sandwiches. Parfois, j'achète des tranches de jambon avec des taches d'olives vertes incrustées dans la viande. C'est dégueulasse, mais ça varie le menu. Puis, j'écoute le baseball à la télévision en mangeant des chips. Je regarde des comédies américaines stupides.

J'espère toujours que quelqu'un va rentrer. Mais Jimmy passe sans doute encore sa soirée à une réunion des *gamblers* anonymes. Il s'y rend plusieurs fois par semaine. Il essaie d'aider les joueurs compulsifs à se guérir. Pendant ce temps, Steve, lui, mise le paquet sur Jessica.

Quand j'en ai assez, je me couche. Une fois déplié, le divan-lit prend presque tout l'espace dans ma chambre. À peine peut-on circuler… L'environnement joue sur mon moral. La nuit, même mes rêves sont étriqués. Mes cauchemars n'ont plus aucune envergure. Mon univers rapetisse. J'étouffe.

Décidément, j'aurais mieux fait de partir en voyage avec Roxanne.

Maigre consolation: mon anglais s'améliore un peu. Il est moins *so so* qu'avant. J'arrive à tenir une conversation, du moment qu'elle ne devient pas trop philosophique. Même chose qu'en français quoi!

Pour mon camarade Steve, c'est l'inverse. Lui ne regrette pas un instant son voyage.

Entre les travaux de peinture le jour, ses longues discussions le soir avec Jimmy pour rattraper les années perdues, ses *jams-sessions* avec la belle Jessica le reste du temps, il ne trouve pas un moment pour s'ennuyer.

Son anglais progresse beaucoup plus vite que le mien. Jessica lui apprend plein de mots cochons. Ils font certainement de nombreux travaux pratiques pour accélérer l'apprentissage… Chanceux, va!

Ma vie sexuelle à moi ressemble à celle des chevaux, à la seule différence près que personne ne conserve mon sperme au frigo…

En ce torride après-midi de juillet, le soleil tape trop dur. Rien qu'à lever le petit doigt, on sue à grosses gouttes. Dans les enclos, les chevaux sont exténués. Tout juste trouvent-ils l'énergie pour chasser avec leur queue les mouches qui les harcèlent.

Steve et moi peinturons tranquillement. On ménage nos forces et nos mots.

— Il faut absolument que je fasse quelque chose pour mon père, dit Steve pour rompre le silence.

— Pour faire quoi?

— Lui redonner du *guts*, merde! Lui faire récupérer son écurie. Ça n'a pas de sens qu'il accepte de travailler pour cet opportuniste de McCain. Le ferais-tu, toi?

En arquant le dos pour reposer mes reins, je vois venir quelqu'un au loin.

— Tiens, tiens... Regarde donc, Steve, qui s'apprête à nous rendre visite.

Son regard suit le mien.

— Ben oui. *The big boss*. Mitchell McCain.

McCain. Ça évoque nécessairement dans mon esprit les sacs de frites du *PFK*. J'imagine qu'il n'y a pas de lien de parenté entre les deux.

Comme j'ai les doigts couverts de peinture, je frotte mon nez qui coule contre mon poignet et je m'essuie les mains sur mon pantalon. Bref, je fais tout ce que ma mère m'interdisait quand j'étais petit. Ses leçons de bienséance n'ont absolument rien donné.

McCain est un homme court sur pattes. En langage chevalin, disons qu'il ressemble davantage à un cheval de trait qu'à un pur-sang...

— Alors, les p'tits gars du Québec, ça avance la peinture?

Je serre sans conviction la main ronde et poisseuse qu'il me tend. McCain sent à plein nez la lotion après-rasage dont il s'asperge pour couvrir l'odeur des écuries.

— Couci-couça, répond Steve en désignant le travail accompli.

— Mouais..., fait-il en se tâtant le menton.

— Y a un problème? demande Steve sans aménité.

— Pas un problème, non, juste un petit pépin. Je vais perdre un de mes gars la semaine prochaine. Un palefrenier qui part en tournée avec *Stop the Music*[11] sur la côte Ouest. Ça me prendrait quelqu'un pour le

---

11. Le nom d'un cheval. Ils en portent souvent d'assez étranges comme chacun sait.

remplacer. Le problème, ajoute-t-il en se grattant la tête, c'est que vous êtes deux...

Il avance une solution.

— Bien sûr, vous pourriez toujours alterner. Mais je préférerais un seul apprenti. C'est moins compliqué à former. Moins cher aussi.

Steve et moi échangeons un regard.

— En tous les cas, je vais évaluer la situation et je prendrai ma décision bientôt, conclut-il. L'un de vous deux n'en a plus pour très longtemps à se taper cette corvée de peinture. D'ici là, *keep up the good work!* Continuez votre bon travail!

J'ai l'étrange impression que McCain a décidé de nous diviser, de nous placer en situation de concurrence, de nous monter l'un contre l'autre, Steve et moi. Pourquoi faire?

Encore une soirée tout seul à la maison, à manger sans appétit des sandwiches à vous savez quoi.

Je suis jaloux de Steve. J'aimerais bien sortir avec une Noire un jour. Par curiosité, juste pour voir si la sensation est la même quand on embrasse. Et pour faire enrager mon père aussi...

Le frigo ronronne. Seuls les appareils électroménagers me tiennent compagnie dans cette maison.

Bien sûr, je pourrais sortir, me changer les idées, me promener. Je veux bien, mais où? Au cimetière? Au centre-ville de Lexington, guère plus vivant du reste que le cimetière...

Je mentirais si je disais que je m'amuse follement dans cette ville. Je m'ennuie de la route, de l'auto-stop, des rencontres qu'on y fait, des nuits à dormir à la belle étoile, même des nuits au motel à me faire tabasser par des malfaiteurs. Je ne suis pourtant pas masochiste à ce point-là.

Je commençais à me découvrir une âme d'aventurier, voilà tout.

J'ai bien envie de proposer à Steve d'abandonner ce travail fastidieux, de reprendre la route, de poursuivre le voyage plus au sud, vers le Tennessee, le Mississippi, la Louisiane...

Mais Steve refuserait. Il est devenu sédentaire à cause de Jessica. Maudit Steve, va! Est-ce que Roxanne m'a rendu sédentaire, moi? Et dire qu'il me reprochait de manquer de couilles, de toujours obéir aux quatre volontés de Roxanne...

C'est assez. J'en ai marre de cette maison sordide. Je ramasse mes clés et mon fric, je me prépare à sortir lorsque je tombe, dans l'embrasure de la porte, sur un visiteur.

Un mystérieux visiteur portant un imperméable et un chapeau, un peu à la manière des gangsters.

— Tu es bien le fils de Jimmy Russell? demande-t-il.

Sans vraiment y penser ou simplement pour jouer, je réponds:

— Oui, c'est exact.

— On m'a informé que tu habitais chez ton père. J'aimerais te parler.

Je l'invite à entrer. Il jette un coup d'œil nerveux par-dessus son épaule avant de pénétrer dans la maison. Il s'assoit et pose son chapeau sur la table de la cuisine.

— Le voyage s'est bien passé? demande-t-il.

— Assez bien merci. Vous avez un avantage sur moi, monsieur.

— Quoi donc?

— Vous savez mon nom. Je ne connais pas le vôtre.

— Ça n'a pas d'importance, dit-il en jouant avec le rebord de son chapeau. Ce qui compte, c'est que je sais des choses qui intéresseraient sûrement ton père.

— Quelles sortes de choses?

— Je sais que sa faillite a été provoquée par des gens qui voulaient l'éliminer, le faire disparaître de la carte.

— Pardon?

— Il avait beaucoup emprunté d'argent, précise le visiteur...

— Je sais.

— Il se trouve que l'argent des créanciers provenait d'une famille dont les activités ne sont pas, comment dire, très légales, si tu vois ce que je veux dire.

— C'est-à-dire...

— Une famille de maffiosi, si tu préfères...

En entendant le mot «maffiosi», je tressaille. Mon interlocuteur s'en rend compte et cela le fait sourire.

— Il ne faut pas les confondre avec la bande d'Al Capone tout de même. On est à Lexington, Kentucky, pas à Chicago, Illinois. Toujours est-il, poursuit le visiteur, que ces gens-là détestent perdre de l'argent. Les mauvaises créances, ce n'est vraiment pas leur fort, si tu vois ce que je veux dire.

— Je comprends.

— La mafia s'arrange toujours pour récupérer sa mise de fonds, plus les intérêts évidemment. Peu importe les moyens qu'il faut prendre. Tu me suis toujours?

Je hoche la tête.

Comment Jimmy a-t-il pu se laisser embarquer par la pègre? Fallait-il qu'il soit coincé à ce point-là?

— Évidemment, tout s'est fait par l'entremise d'une compagnie parfaitement légale, inscrite en bonne et due forme dans les registres de l'État.

— Vous savez le nom de la compagnie?

— Non, mais je connais des gens qui peuvent te renseigner mieux que moi là-dessus. Des gens qui savent d'autres détails sur les mésaventures de Jimmy. Demain soir, à vingt heures précises, présente-toi à l'entrée du cimetière de Lexington. C'est tout près d'ici...

Je note mentalement les instructions du visiteur. Il répète:

— N'oublie pas: demain soir, vingt heures.

Après un moment d'hésitation, je propose:

— Pourquoi pas ici?

— Non, ce serait trop dangereux deux jours d'affilée.

Trop dangereux! Qu'est-ce qu'il entend par trop dangereux?

Il met ensuite son chapeau et me dit:

— Ah oui! J'oubliais un détail important. Viens seul au rendez-vous. Si tu es accompagné, on ne sera pas à ta rencontre. Compris? Et surtout, ne parle à personne de notre conversation. Ça vaudra mieux pour tout le monde, si tu vois ce que je veux dire...

Il remonte le col de son imperméable et quitte la maison, en multipliant les regards à gauche et à droite.

Seul dans la cuisine, je me rassois. J'aurais voulu lui demander si c'est vrai, ce que Steve m'a raconté sur la mafia et les rats morts que l'on expédie aux personnes à qui l'on souhaite du malheur. Je n'en ai pas eu le temps.

Je réclamais de l'aventure. Me voilà servi. Si vous voyez ce que je veux dire...

Nous peinturons notre xième clôture. J'ai perdu le compte. Steve siffle des airs de blues. Il file un excellent coton. J'espère au moins qu'il ne manigance pas dans mon dos pour obtenir le job de palefrenier. Je ne lui pardonnerais pas.

Je choisis de ne pas lui parler du visiteur d'hier soir. Comme ce dernier me l'a d'ailleurs demandé. Je laisse Steve rêvasser en paix à Jessica. Je suis à peu près certain que c'est ce qu'il fait en ce moment.

Pour ma part, j'ai très mal dormi la nuit dernière. J'ai beaucoup pensé au visiteur.

J'ai songé que la pègre aurait tout aussi bien pu régler le cas de Jimmy autrement. On aurait retrouvé son corps dans la rivière Kentucky, les pieds coulés dans le béton. Steve aurait alors eu une vraie belle surprise à son arrivée ici...

Et si cette visite n'était que le prélude à de nouveaux ennuis? Jimmy a-t-il vraiment remboursé toutes ses dettes comme il l'affirme? Dans le cas contraire, la mafia a peut-être monté un petit enlèvement facile, ce soir au cimetière. Quel meilleur endroit? Désert, calme... Le site idéal pour extorquer encore quelques milliers de dollars à ce bon vieux bougre de Jimmy Russell. Quelle cible facile! Le fils de Jimmy Russell est en ville...

Pourquoi diable me suis-je donc fait passer pour Steve? N'en ai-je pas déjà plein le dos en tant que fils de Gérald Racine? C'était une idée stupide. Un père me suffit amplement. Trop tard... Si j'avais encore le revolver en ma possession au moins, je pourrais me défendre. Pour qui tu te prends, Marc-André Racine pour te mesurer à la pègre de Lexington?

Ah! Et puis, cette histoire ne me concerne pas. Je n'irai pas au rendez-vous, c'est tout...

Mais si, par contre, je pouvais apprendre quelque chose de nouveau pouvant venir en aide au père de Steve.

Je me suis perdu toute la nuit dans un enchevêtrement d'hypothèses, si bien qu'au petit matin, mes draps étaient tout entortillés. Comme mes idées.

— Ça va? demande Steve.

— Euh... oui.

— Tu as l'air soucieux.

— Nonon.

À la fin de la journée, nous rangeons, comme c'est notre habitude, l'équipement de peinture dans la remise.

— J'ai rendez-vous avec Jessica, m'informe Steve.

— Et puis après?

— Ça t'embêterait beaucoup de t'occuper de l'équipement tout seul? Juste ce soir, promis?

— Ouais, vas-y.

— Tu es chic. Je te revaudrai ça demain.

— Pas de problème. Embrasse-la de ma part.

— Tu peux compter sur moi pour ça, ajoute-t-il avec malice.

Dix-huit heures.

Un chèque de paye m'attend à la réception pour ma première semaine d'ouvrage. Gloria, la réceptionniste, me remet une enveloppe. J'ai une sacrée mauvaise surprise lorsque j'en découvre le misérable contenu. Même en convertissant mon salaire en dollars canadiens, je gagne encore moins d'argent qu'au *PFK*... L'envers du rêve américain, je l'ai entre les mains.

J'enrage.

Je dois quand même aller à la banque toucher ce chèque.

Sans bicyclette ici, je demeure toujours aussi restreint dans mes mouvements. Quant à l'idée de m'acheter une moto, je commence à l'enterrer. Ce ne sera jamais possible avec ces petits chèques de pitance.

Heureusement, un entraîneur de chevaux m'informe qu'il a des courses à faire en ville. Il offre de me déposer à la banque. J'accepte.

Dans la voiture, il me demande:

— Et puis, jeune homme, tu te plais ici?

Vaut-il mieux lui dire la vérité ou répondre quelque chose de gentil? Bah... soyons aimable. Ce n'est quand même pas la faute des hommes de chevaux si tout va mal.

— Vous avez un bien beau coin de pays...

— Façon polie de dire que tu t'ennuies à mort, dit-il avec un clin d'œil.

À mort! A-t-il choisi ce mot sciemment! Non! Impossible. Je deviens paranoïaque...

Plutôt que de dire une sottise, je me contente de regarder le décor. Essentiellement des chevaux qui broutent. Peinards. Ils sont quand même bien, les chevaux. Dans plusieurs cas, je dirais même qu'ils sont mieux traités que les humains. Je parierais que plusieurs d'entre eux sont logés et nourris plus convenablement que les citoyens de race noire de Lexington. Il faudrait que j'en glisse un mot à Jessica pour savoir ce qu'elle en pense.

Mangez-en de l'herbe, les chevaux! N'arrêtez pas d'en manger! C'est la seule façon pour vous d'empêcher vos dents de pousser. Autrement, le vétérinaire va vous les limer... Ayoye.

Une fois mon chèque encaissé, je marche dans Lexington pour tuer le temps. Tuer le temps? Encore une expression sinistre...

Je remarque de l'autre côté de la rue une cabine téléphonique. Je ne sais pas exactement pourquoi, mais une force étrange me pousse vers l'appareil. Je sens en moi comme une montée de fièvre familiale. Peut-être est-ce la peur aussi? Il m'apparaît urgent de téléphoner à la maison. À frais virés, bien entendu...

J'entre dans la cabine. Mon propre numéro de téléphone ne me revient pas spontanément à l'esprit. Assez vite, je me le remémore. Je demande la téléphoniste.

Une sonnerie, deux sonneries. J'ai envie de raccrocher. Non, je reste en ligne. Heureusement, c'est ma mère qui répond et elle accepte les frais.

— Bonjour maman!

— Marc-André? C'est bien toi?

— Tu en connais beaucoup d'autres qui t'appellent maman? À part Alexandre, évidemment?

— Mais qu'est-ce qui t'as pris, Marc-André? C'est insensé, cette histoire. On se fait de la bile pour toi, ton père et moi.

— Vous avez reçu ma carte postale?

— Oui. On était contents de voir que tout allait bien. Tu dors où au juste?

— As-tu parlé à la mère de Steve? dis-je, en esquivant la question qu'elle vient de me poser.

— Oui et elle était très étonnée que tu sois parti sans nous en parler...

— Mais j'ai essayé, bon sang!

— Je sais bien...

— Vous n'avez pas mis la police à mes trousses au moins?

— Bien sûr que non, Marc-André. On a respecté ta décision. Mais on est très inquiets, je te prie de me croire. Ton père fait de l'insomnie depuis ton départ.

J'ai beau reconnaître la voix de ma mère au téléphone, la conversation se déroule étrangement. Ça sent le réchauffé. On dirait qu'elle a appris son texte.

À l'extérieur, un homme fait le pied de grue devant la cabine téléphonique. Je lui fais signe que je ne tarderai pas.

— ... Marc-André? Tu es toujours au bout du fil.

— Euh... oui. Qu'est-ce que tu disais au sujet de papa?

— Qu'il se tourmente pour toi... Il ne dort plus la nuit. Il se sent coupable. Il dit qu'il n'a pas su t'écouter. Chaque jour, il parle de partir à ta recherche.

Je n'en demandais pas tant. Vraiment pas.

— Je t'en prie, Marc-André, poursuit ma mère. Tu dois revenir à la maison. Nous sommes à bout de patience... Tu ne manques de rien j'espère?

— Ben... Puisque tu abordes le sujet, disons que les finances ne sont pas terribles.

— Si je savais où tu te trouves exactement, si je connaissais ton adresse, je pourrais t'envoyer de l'argent, tu sais...

C'est alors que j'entends, derrière ma mère, une voix tonner dans la maison.

— Quoi? De l'argent? À ce petit voyou qui m'a volé?

Je reconnais évidemment le paternel, faisant allusion à l'emprunt que j'ai librement contracté auprès de lui. Pour un homme qui souffre d'insomnie chronique, sa voix porte encore assez bien merci!

— Passe-le-moi! hurle-t-il.

— Ton père voudrait te dire un mot, mon chéri... Ne quitte surtout pas.

Je l'imagine qui arrache le téléphone des mains de ma mère pendant que celle-ci le supplie de me parler calmement. J'entends en sourdine ma mère lui dire:

— Ne sors pas de tes gonds. Sinon, tu vas tout faire avorter.

Évidemment, une fois en possession du combiné, il ne peut s'empêcher d'aboyer:

— MARC-ANDRÉ, TU VAS REVENIR À LA MAISON. PIS VITE À PART ÇA... SINON, TU VAS EN MANGER TOUTE UNE! ÇA, JE TE LE GARANTIS!

Je raccroche instantanément.

C'est alors et alors seulement que je comprends que ma mère vient de me flouer. J'en suis convaincu: j'ai été placé sur une table d'écoute et ma mère a reçu pour directive de me faire la conversation suffisamment longtemps pour que l'on puisse localiser l'appel.

Quoique avec les postes téléphoniques modernes munis d'afficheurs, les tables d'écoute n'ont-elles pas perdu leur raison d'être? Et mes parents ne savent-ils pas déjà où je me trouve? Ma mère m'a bien dit qu'elle avait parlé à celle de Steve. Elle n'ignore rien, alors. Je me perds dans une nouvelle série d'hypothèses. Ça devient plus compliqué encore que de la trigonométrie.

Chose certaine, je me suis laissé embobiner par ma mère.

Mon père n'éprouve absolument aucun remords. Il m'a même promis qu'il me passerait à tabac si je ne revenais pas au bercail. C'est absurde, d'ailleurs. Comment pourrait-il y parvenir si je décide de ne plus jamais remettre les pieds à la maison? De ne plus le revoir qu'à son enterrement? Si je décide d'imiter Jimmy Russell et de partir, moi aussi, avec mon baluchon, à la conquête des États-Unis?

Non, j'ai déjà trop le mal du pays, je m'ennuie trop de Roxanne, pour envisager sérieusement une telle possibilité.

Je quitte la cabine téléphonique en pestant contre mon imprudence.

Il me reste encore une heure avant ma rencontre au cimetière.

Dix-neuf heures cinquante. J'ai dix minutes à ma disposition avant le rendez-vous. J'en profite pour me taper une petite balade mortuaire.

Tous parfaitement alignés, les monuments de granit gris et de marbre rose forment un ensemble cartésien, harmonieux. Ici et là, une gerbe de fleurs signale la visite récente d'un membre de la famille. Autrement, le soleil couchant aidant, le cimetière conserve sa mine lugubre. C'est le but, non?

Tout semble calme autour. N'est-ce pas toujours ainsi avant les fusillades?

Vingt heures précises. Je quitte l'intérieur du cimetière afin que le gardien puisse fermer à clé la haute grille de fer forgé. J'attendrai dehors. Il me salue au passage. Si je me fais assassiner, il pourra se vanter d'avoir été la dernière personne à m'avoir vu vivant. Brrrr...

Une petite voiture sport décapotable remonte l'allée menant au cimetière et se gare en douce devant la grille. Le conducteur coupe le contact. Il s'en extirpe pour venir à ma rencontre.

Bizarre d'individu. À peine plus grand qu'un nain, mais sans rondeurs, les membres au contraire fins et délicats. Un homme-enfant. Il porte des bottes d'équitation. Pas besoin de plus d'indices pour deviner que c'est un jockey. Il ne lui manque que sa bombe[12] sur la tête.

Il ouvre la bouche et parle d'une voix étonnamment basse pour son gabarit:

— Steve Russell, je suppose?

Je fais signe que oui et je lui tends la main. Évidemment, il ne décline pas son identité.

Il n'a pas encore serré ma main qu'une voiture surgit de l'allée et fait une embardée dans un gros nuage de poussière.

---

12. Autre nom que l'on donne au casque d'écuyer.

— Barre-toi, crie le jockey en se précipitant lui-même par terre.

Mais la voiture file vivement en direction ouest sans se soucier de nous. Le conducteur aurait pu aisément nous tirer dessus si telle avait été son intention. Le jockey croyait-il qu'il s'agissait d'une attaque surprise? Il a réussi à me foutre la trouille en tous les cas. Tandis qu'il se relève et époussette ses vêtements, je lui demande:

— Vous êtes dans la mafia, vous aussi?

— Chut! Pas si fort! gronde le jockey en portant son doigt à ses lèvres. Je ne suis pas avec eux, non. Mais je travaillais pour leur intermédiaire...

— Leur intermédiaire?

— La pègre sait toujours bien s'entourer, tu sais.

— Et vous avez fait quoi, au juste, pour foutre Jimmy dans la merde? Vous lui avez prêté de l'argent à taux usuraire, vous aussi?

— Non.

— Quoi alors?

— J'ai dopé ses chevaux.

— Hein?

— Ne me fais pas répéter inutilement, marmonne-t-il avec impatience. Tu as très bien compris.

Quelle arrogance! Il m'annonce qu'il est responsable d'une bonne partie des déboires de Jimmy et il n'a même pas la décence, bien qu'il me prenne pour le fils de Jimmy, de me regarder dans les yeux, de manifester quelque forme de regrets. Autant d'agressivité, autant de ressentiment dans un si petit homme. Incroyable.

— Pourquoi vous avez fait ça?

— Pour l'argent.

— Vous ne l'auriez pas fait autrement?

Il me regarde avec l'air exaspéré de ceux qui détestent répondre aux questions naïves.

— Qu'est-ce que tu penses, fiston? Qu'on dope des chevaux pour le plaisir? Pourquoi je l'aurais fait, sinon pour le fric? Ton père a toujours été plutôt correct avec moi quand je faisais partie de son écurie...

— Vous avez déjà monté les chevaux de Jimmy?

— Ouais. Même que, deux années d'affilée, j'ai remporté le championnat des conducteurs du Kentucky. Jimmy a fait une gaffe quand il m'a demandé de quitter l'écurie avant la fin de mon contrat. Il a eu tort. J'aurais pu gagner encore beaucoup de courses pour lui. Mais il disait que j'avais pris de l'embonpoint, qu'il fallait laisser la place aux jeunes et d'autres conneries du genre. Il a commis une erreur et je cherchais un moyen de me venger quand on m'a justement proposé ce boulot...

— Le dopage des chevaux?

— Tu comprends vite, ironise-t-il.

— Et pourquoi vous passez aux aveux aujourd'hui?

— Pour l'argent...

— Hein?

— Parce que je n'ai pas été payé pour faire la job de bras.

Je reste silencieux et j'observe mon interlocuteur de haut. Compte tenu de sa petite taille, j'y suis un peu forcé.

Quel drôle de monde que celui des adultes. Les gens se vengent parce qu'on a marché sur le gros orteil de leur orgueil. Parce qu'ils n'ont pas été payé pour faire un sale boulot. Les adultes ne pensent qu'à ça: se venger. Ils sont pires que des enfants.

— J'ai envoyé une facture de dix mille dollars pour honoraires professionnels, explique-t-il, mais je n'ai jamais reçu une cenne en retour. Je me suis fait rouler comme un vulgaire amateur.

— Et cette facture pour «honoraires professionnels», comme vous dites, vous l'avez envoyée à qui?

— À une compagnie.

— Qui s'appelle comment?

— *Horses unlimited*.

Je note mentalement. C'est probablement la compagnie dont me parlait le visiteur de l'autre soir.

— Je dois te laisser maintenant, fait-il en regardant sa montre. Tu en sais suffisamment pour réparer les ennuis que j'ai pu causer à ton père.

— Une chose encore...

— Qu'est-ce que tu veux savoir?

— Pouvez-vous m'expliquer comment vous avez dopé les chevaux?

— Très simple, dit-il. Avec du *milk shake*...

— Du quoi?

— Du *milk shake*. Un mélange d'eau et de bicarbonate de soude administré au cheval.

— Et qui fait quoi?

— Qui neutralise l'acide lactique de la bête. Le cheval ne sent pas la fatigue de ses muscles et il continue de courir même après avoir franchi le fil d'arrivée. C'est une recette que connaissent tous les vétérinaires...

— Vous avez bien dit tous les vétérinaires?

— Tu as bien entendu. Tu peux toi-même continuer les recherches à présent. Bonne chance!

Le jockey ouvre la portière de sa voiture sport. Je tente de lui poser une toute dernière question:

— Si vous voulez vous venger, pourquoi vous ne le faites pas vous-même?

— Je t'ai dit de ne pas parler si fort, m'intime le jockey. On ne sait jamais qui écoute aux portes. Même ici, dit-il en pointant du menton les monuments funéraires. Nous préférons que le travail soit fait par quelqu'un de l'extérieur, c'est tout.

— Parce qu'il y a des risques?

— Non, parce que tu es le seul qui ne court aucun danger. Le Kentucky est un petit État paisible. Nous n'aimons pas les effusions de sang ici... Salut!

Il démarre sans me jeter le moindre regard. Je ravale ma salive.

Il ne m'a même pas proposé de me déposer quelque part. Je me sens comme à l'époque, pas si lointaine, où je faisais du pouce le long de la route...

Le lendemain, après ma journée de travail, je me dirige vers les bureaux de Greenwood. Tous les locaux semblent vides.

Le gens ont quitté les lieux pour la fin de semaine, je suppose. Seule Gloria, occupée à ranger des dossiers, garde le fort comme on dit. Elle me demande si j'ai besoin de quelque chose.

— Est-ce que monsieur McCain est là?

— Non. Il est en réunion à l'extérieur de la ville. Il sera de retour demain.

— Demain? Mais demain, c'est samedi?

— Il travaille souvent le samedi après-midi au bureau. Il trouve que c'est plus calme comme ça. Il classe de la paperasse...

— Il paraît que monsieur McCain conserve tous ses dossiers, qu'il est incapable de jeter le moindre papier, c'est vrai?

— C'est la réputation qu'il a, oui.

— On dit aussi qu'il collectionne des trophées, des bibelots et des chevaux miniatures. Qu'il y en a plein son bureau et qu'il ne supporte pas qu'on les déplace... Ça aussi, c'est vrai?

— Oui... mais pourquoi toutes ces questions, Marc-André?

Elle prononce mon nom de manière très sensuelle. Ah! si elle était un peu plus jeune ou moi un peu plus vieux, Gloria serait peut-être ma blonde. Ma blonde américaine. Moi aussi, j'améliorerais mon anglais. Je m'allongerais à ses côtés et j'étendrais mon vocabulaire.

— Juste comme ça. Simplement pour mieux connaître mon patron.

J'ajoute pour faire diversion.

— Il faut que j'aille aux toilettes, Gloria. Vous m'attendez avant de fermer les bureaux à clé?

— Oui, mais dépêche-toi. Mon chum m'attend dans le stationnement. On va au cinéma ce soir.

En fin de compte, Gloria ne cherche peut-être pas du tout à me séduire. Je fabule encore.

— Ce ne sera pas long.

Les toilettes se trouvent au sous-sol. Après m'être assuré que la porte est bien verrouillée derrière moi, j'observe les lieux. C'est bien ce que je pensais: un soupirail donne sur l'extérieur. Je monte sur le lavabo, j'entoure mon poing d'une serviette et d'un solide coup d'avant-bras, je dégage le soupirail qui oppose peu de résistance.

Bien fait! Ainsi, j'aurai tout le loisir de revenir ce soir compléter mes recherches, comme le jockey m'a recommandé de le faire.

18 PÉLERINAGE AU TEMPLE DU POULET FRIT

Samedi égale jour de congé. Très tôt pourtant, il y a du bruit dans la maison. Steve et son père sont debout. Ils discutent, ils rigolent. À vrai dire, ils forment un bon duo.

Très souvent, je me sens de trop. Je me demande ce que je suis venu faire ici, même si Jimmy fait ce qu'il peut pour que je me sente à l'aise. Peine perdue.

Sait-il au fait que j'ai quitté la maison sans le consentement de mes parents? Steve le lui a-t-il appris?

Ils préparent du café. Je le devine, non pas à cause de l'odeur, mais parce que la bouilloire crie — elle ne sait pas chanter.

J'ai fait preuve de beaucoup de discrétion jusqu'ici. Je n'ai encore rien dévoilé à Steve, ni sur la visite du gangster l'autre soir, ni sur mon coup de téléphone à ville Lasalle, ni sur le rendez-vous secret avec le jockey au cimetière. Couché sur mon divan-lit, je réfléchis, les yeux rivés au plafond.

Je me sens las. Je n'ai pas dormi beaucoup cette nuit. C'est fatigant, effectuer des recherches à la lueur d'une lampe de poche...

Je n'ai pas dormi davantage la nuit d'avant. Ça commence à devenir une maladie. Une maladie qui a un nom et qui s'appelle insomnie.

Suis-je vraiment fait pour les enquêtes? Est-ce que je réagis bien au danger et à l'imprévu? Trop tôt pour répondre...

On cogne discrètement à ma porte.

— *Come in.*

— Tu peux ranger ton anglais, dit Steve. Tu veux du café?

C'est devenu un automatisme chez moi. Je commence à penser en anglais.

Je me redresse pour boire, à petites gorgées, le liquide bouillant. Steve s'assoit au pied du lit. Nous échangeons quelques paroles banales, jusqu'à ce qu'il me propose une activité inusitée.

— Envoye donc! Ça va être drôle.

— Tu penses ça sérieusement?

— Ben oui. On va s'amuser tous les quatre.

— Bah! Tant qu'à être au Kentucky... Pourquoi pas?

Après déjeuner, nous prenons tous place, Jimmy, Steve, Jessica et moi, dans la camionnette des écuries Greenwood, pour nous rendre à Corbin, au sud-est de l'État du Kentucky.

Qu'y a-t-il donc à voir dans ce petit patelin? Une attraction touristique qu'il me faut absolument visiter. Un véritable *must:* le premier restaurant du colonel Harland Sanders. C'est Face de Rat qui serait fier de moi. Je lui enverrai une carte postale de l'endroit.

Après une petite heure et demie de route sur l'*Interstate* 75 en direction sud, nous arrivons finalement au restaurant.

À première vue, l'endroit n'a rien d'exceptionnel, sinon qu'une haute tour[13] surmontée d'une immense enseigne lumineuse, tente d'attirer l'attention des automobilistes sur l'autoroute.

À l'intérieur du premier *PFK*, le mobilier est d'époque et fait de bois rond plutôt que de plastique moulé. Les murs sont couverts de plaques commémoratives et les étagères vitrées, remplies de photos souvenirs et d'objets hétéroclites.

— As-tu lu celle-là? demande Steve en désignant une plaque de bronze.

— Non.

— On explique que le colonel a lâché l'école à douze ans! Ce qui prouve que l'on peut réussir sa vie sans perdre son temps pendant quinze ou vingt ans sur les bancs d'école...

— Peut-être mais le colonel est né en 1890, objecte Jimmy. Les choses ont changé depuis un siècle. Le colonel n'est pas un modèle pour personne sur ce plan.

Tiens, tiens... Steve et son père en désaccord sur le décrochage scolaire. Voilà qui ramènera peut-être Steve sur les chemins de l'école en septembre prochain.

---

13. Quasiment de la taille de la tour du CN! D'accord, j'exagère encore un peu.

Dans le petit musée contigu au restaurant, nous découvrons des objets promotionnels loufoques et tous parfaitement inutiles. Des cahiers à colorier, des masques d'Halloween, des cartons d'allumettes... Toujours avec la bonne vieille margoulette du colonel Sanders imprimée dessus.

Nous terminons notre visite au restaurant. Grande consolation: le poulet frit goûte exactement la même chose que chez nous.

— C'est comme si je l'avais fait cuire moi-même.

Je me tape une petite sieste dans la camionnette en revenant. Après tout, j'ai des heures de sommeil à rattraper, moi.

Une sieste qui se terminera de manière un peu trop abrupte à mon goût.

— Réveille-toi Marc-André! Réveille-toi que je te dis!

Steve me secoue comme si j'avais perdu conscience après un accident ou comme si le feu venait de prendre dans le moteur de la camionnette. Quand j'ouvre les yeux, je comprends que c'est tout comme...

Devant la maison de Jimmy, deux grosses voitures nous attendent. Des visiteurs? De la belle visite, oui. Deux voitures noires avec sur leur flanc, peinte en lettres dorées, l'inscription *State of Kentucky — Police Department* encadrant l'emblème de l'État.

L'un des policiers ordonne à Jimmy d'immobiliser sa camionnette. Je me fais tout petit sur la banquette. Je comprends que mon voyage tire à sa fin. Est-ce à cause de mes conversations avec la mafia? Ou de ma perquisition sans mandat?

Bah! S'ils me cuisinent, je nierai tout... Je leur dirai que je ne sais rien. Que je ne comprends même pas l'anglais.

Le policier se penche pour parler à Jimmy.

— Bonjour, Jimmy.

— Salut, Norman. Ça va?

Jimmy et le policier se connaissent. Je me dis que cela va peut-être arranger les choses. Et s'il s'agissait d'une infraction mineure de Jimmy au code de la route? Voyons Marc-André! Réveille! Réfléchis un peu! Est-ce que quatre policiers se déplacent pour une contravention impayée?

Non. Leur présence ici annonce quelque chose de plus grave. Je m'accroche au dernier filet d'espoir. Un fil de salive plutôt.

— Nous recherchons un jeune homme du nom de...

Il jette un coup d'œil sur son bloc-notes et termine laborieusement sa phrase:

— ... de Mark-Andrew Raw-seen.

L'agent de police écorche tellement mon nom que je ne me reconnais pas. Je pense qu'il cherche quelqu'un d'autre. Évidemment, je mets assez peu de temps à retomber sur mes pattes et je réplique sur un ton presque solennel:

— Je suis bien celui que vous cherchez. Je suppose, monsieur l'agent, que je dois vous suivre?

Le policier me regarde, interloqué. Il ne pensait peut-être pas que l'arrestation serait si simple. Il croyait avoir affaire à un caïd. Non, monsieur l'agent. Ce n'est pas le cas.

— Tes parents vont venir te chercher dans quelques heures à l'aéroport.

— Mes parents? Comment ça, mes parents?

— Ta mère, oui. C'est la règle pour les mineurs qui fuguent. Il n'y a que les criminels que l'on retourne chez eux aux frais du contribuable. Les autres doivent rentrer par leurs propres moyens.

Alors, on m'embarque pour ma fugue? C'est tout? J'aurais envie de leur dire que j'ai fait bien pire encore récemment. Que j'ai parlé à la pègre, diable!

— Tu as le temps de récupérer tes effets personnels, m'informe le policier, avant que l'on te conduise à l'aéroport.

J'entre dans la maison de Jimmy. Steve me suit. Il s'assoit sur le bras du divan. Machinalement, il arrache les poils d'une balle de tennis qui traînait.

— C'est dommage que ça finisse comme ça pour toi.

— Mais non, Steve, ce n'est pas dommage. C'était la fin prévue. Tu ne trouves pas ça tout de même incroyable que la police ne nous ait pas pincés avant? On avait une chance sur mille de les déjouer.

Je continue de ramasser mes affaires.

— Ouais, fait Steve en lançant la balle contre le mur de la chambre. Mais j'ai quand même des remords. Je t'ai négligé depuis notre arrivée ici. D'abord, il y a eu mon père avec qui j'ai passé beaucoup de temps, puis Jessica... Je n'ai pas été un compagnon très fidèle au poste. Je t'ai laissé te morfondre tout seul.

— Je me suis débrouillé, Steve. Je suis devenu un grand garçon, tu sais.

J'attache les courroies de mon sac.

— Tu oublies ça, dit Steve en me tendant une grande enveloppe brune.

— Ah! oui, merci!

Nous sortons de la maison. Steve, les mains dans les poches. Moi, un gros sac de l'armée accroché à mon dos. Je m'adresse à l'un des policiers:

— Je dois passer par Greenwood ramasser quelques vêtements que j'ai laissés à l'écurie. Vous n'y voyez pas d'inconvénients?

Le policier consulte son collègue.

— D'accord, fait-il en pointant du menton la voiture de police qui me conduira aux écuries.

Je ne pourrai plus dorénavant me déplacer autrement qu'en compagnie des policiers. Comme les criminels! Ça me fait un petit velours, on dirait.

Steve s'interpose entre la voiture et moi.

— Veux-tu que je t'accompagne, Marc-André.

— Non, Steve. Ils n'apprécieraient pas, dis-je en désignant les policiers. Mieux vaut que je termine ce voyage seul. Merci quand même.

Jessica m'embrasse — un baiser bien chaste, dommage! —, Jimmy me tape amicalement l'épaule, Steve me serre contre lui. Il a pourtant horreur des débordements affectifs.

— Tu avais raison pour une chose, Steve.

— Au sujet de quoi?

— Je reviendrai à Montréal en avion, comme tu l'avais prédit.

Tandis que Norman m'invite à monter à bord de la voiture de police, Steve me montre son pouce et dit:

— L'été prochain, Marc-André, je compte sur toi pour traverser l'Europe. Tu es un formidable compagnon de voyage. Le meilleur!

Ce témoignage me bouleverse. La voiture de police démarre et j'évite de me retourner, ça ferait trop cliché. Je regarde plutôt droit devant moi et je réfléchis à mon plan de match.

La voiture du patron est stationnée devant les bureaux de Greenwood. Gloria avait donc raison. McCain est au poste. Parfait. Je dis aux deux policiers:

— Si vous n'avez pas d'objections, j'aimerais faire mes adieux en personne au patron.

Les deux officiers haussent les épaules. Deux bons bougres après tout. Des policiers du sud, habitués à ne pas s'énerver pour un rien. Ils m'attendront dehors. Je ne les aurai donc pas dans les pattes pour exécuter mon plan.

L'entrée des bureaux administratifs n'est pas verrouillée. J'y pénètre, je m'essuie les pieds sur le paillasson comme j'ai pris l'habitude de le faire et je me dirige vers le bureau de McCain, au fond du couloir. Je cogne à la porte.

Un grognement m'autorise à entrer.

Les murs du bureau de McCain sont couverts de photographies de lui-même: McCain qui passe une couronne de fleurs au cou d'un cheval gagnant, McCain qui serre la main d'une ancienne vedette de la chanson, McCain, McCain, McCain... Sa table de travail est encombrée de trophées et de bibelots: des chevaux, toujours des chevaux, en bois, en verre, en laiton, etc. Chacun semble occuper une place précise.

Et derrière cette table, McCain s'affaire à classer des papiers. Il me demande sur un ton peu affable:

— Qui t'a permis d'entrer?

— La porte était débarrée.

— Qu'est-ce que tu veux, alors?

J'inspire profondément. J'espère que je ne buterai pas dans ma prochaine tirade.

— Ce que je veux? Eh bien, monsieur McCain, je veux vous accuser!

— M'accuser? De quoi?

— D'avoir provoqué la faillite de Jimmy Russell avant de racheter Greenwood pour moins que rien!

Mitchell McCain abandonne sa paperasse et commence à m'observer d'un air amusé.

Pour quelqu'un qui ne parlait quasiment pas anglais en partant de ville Lasalle, je suis assez fier de mes progrès. Maintenant que j'ai toute l'attention du bonhomme, je poursuis:

— Premièrement, je peux prouver que vous avez participé à la création d'une compagnie enregistrée sous le nom de *Horses unlimited* qui a prêté de l'argent à un taux usuraire à Jimmy Russell. Comme vous avez la manie de tout conserver, monsieur McCain, j'ai trouvé dans vos dossiers les lettres patentes et la liste des actionnaires de cette compagnie.

McCain m'observe en fronçant les sourcils.

— Tu as fouillé dans mes affaires? Tu vas le payer cher, mon sacripant...

— Ces pièces à conviction devraient démontrer que vous avez entretenu des relations avec plusieurs membres influents de la pègre locale. J'irais même jusqu'à dire que cela semble prouver que vous avez agi pour couvrir leurs activités. Évidemment, les tribunaux jugeront eux-mêmes...

— Foutaise, fulmine-t-il.

— C'est votre droit de le penser. Là où ça se complique pour vous, monsieur McCain, c'est que j'ai aussi recueilli le témoignage d'un ancien jockey qui reconnaît avoir été engagé par vous pour donner le coup de grâce à Jimmy quand il est devenu évident qu'il ne pourrait jamais rembourser ses dettes de jeu...

— Foutaise, répète-t-il.

— Pourtant, suivant vos ordres, il avoue avoir dopé les chevaux de Jimmy à l'aide d'une recette de *milk shake* qui n'a sûrement aucun secret pour vous...

En entendant le mot «*milk shake*», Mitch McCain grince des dents.

J'enchaîne:

— Toujours dans vos dossiers, j'ai mis la main sur une facture du jockey au montant de dix mille dollars pour «honoraires professionnels», si je puis m'exprimer ainsi.

— Sors de mon bureau, espèce de petite ordure ou j'appelle la police.

Ici, je force un peu la dose.

— Même que le jockey s'est dit prêt à témoigner contre vous n'importe quand. Il est furieux de ne pas avoir été payé. Vous avez été trop vorace, McCain, dis-je sur un ton moralisateur. Vous avez voulu garder tout le fric pour vous et vos amis de la pègre. Votre avidité vous fera crever.

Trop, c'est trop. McCain perd patience. Il ouvre nerveusement le tiroir de son bureau pour s'emparer...

MAMAN!

... pour s'emparer d'une arme de petite dimension qu'il pointe en ma direction.

J'ai les jambes en pâté de foie. J'aurais envie de crier pour alerter les policiers dehors. Mais ma voix est brisée, étouffée. Je puise le peu de calme qui me reste:

— Vous feriez là une grave erreur, monsieur McCain. Tous les documents que j'ai découverts au cours de ma petite enquête ont été remis à la police du Kentucky...

Évidemment, c'est un bluff. Les documents en question se trouvent dans la grande enveloppe brune que Steve m'a donnée tout à l'heure. Ils sont dans mon sac à dos, pas entre les mains de la police.

J'aimerais lui rappeler qu'assassiner un adolescent sans défense pourrait lui coûter cher, lui faire passer de longues années derrière les barreaux... Mais je me retiens. Ça risquerait de lui donner des idées. Il me nargue:

— Tu ne fais plus le fanfaron maintenant? Tu as peur, hein?

Son arme persiste à m'observer de son œil de cyclope. Je regrette ne plus avoir en ma possession le damné revolver de Vicky. Pourquoi fallait-il que l'on me le vole?

— Pensais-tu vraiment qu'un vieux routier comme moi allait se laisser rouler par un jeune blanc-bec de ton espèce?

Je ne réponds pas.

— J'ai tenu tête à des bien plus coriaces que toi, tu sauras. J'aurais dû me méfier de vous deux. Mais j'ai eu pitié de ce pauvre imbécile de Jimmy Russell. Je ramollis avec les années. Bof... c'est sans conséquence après tout.

Je reste figé et muet.

— Sans conséquence parce que tu ne m'emmerderas plus tellement longtemps. Je vais appeler la police tout de suite et je vais leur dire que je t'ai surpris en train de me voler. Quelle version croiront-ils, penses-tu? Celle d'un voyou comme toi ou celle d'un homme d'affaires respecté comme moi? Ma version ou la tienne?

Je tente le tout pour le tout. Je fais deux pas en direction du bureau.

— Woow! Ne bouge plus, p'tit con!

Alors, je m'empare d'un trophée posé sur une table adjacente.

McCain devient tout à coup livide. De sa main libre, il s'agrippe à son fauteuil. De grosses gouttes de sueur perlent sur son front luisant.

— Ne touche pas à ça!

Je fais mine de lancer le trophée contre le mur chargé de photos.

— NOOOOON!

J'ai trouvé le point faible de McCain, je crois. Sa respiration se fait de plus en plus haletante.

La porte s'ouvre.

Les deux policiers font une entrée fracassante dans le bureau de McCain.

Je me jette face contre le tapis.

PAN!

McCain n'a tiré qu'un seul coup de feu, mais la balle s'est logée dans l'avant-bras de Norman. L'autre policier n'a mis que quelques secondes pour réagir:

— Lâchez votre arme, a-t-il ordonné à McCain.

Ce dernier a obéi et le policier a pu procéder à son arrestation.

— Mains contre le mur. Écartez les jambes...

Il a vérifié si McCain trimballait une autre arme sur lui avant de lui passer les menottes.

— Ça va, toi? m'a demandé le policier après cette démonstration de l'efficacité des forces de l'ordre.

J'ai fait oui de la tête.

Il s'est ensuite occupé de son collègue Norman, lui prodiguant les premiers soins pour empêcher la blessure de trop saigner. La plaie est peu profonde. Norman s'en tirera indemne.

Finalement, le plus mal en point à mon avis, c'est encore McCain, penaud et contrit avec ses menottes aux poignets.

McCain et son trophée. Car, dans ma chute, je l'ai brisé. Le petit cheval doré a maintenant les pattes coupées. S'il était vivant, il faudrait l'abattre...

— Les passagers du vol 552 à destination de Newark sont priés de se présenter à la porte numéro trois.

J'empoigne mon sac à dos tandis que ma mère traîne sa grosse valise sur roulettes. Elle n'est venue que pour une seule journée, mais j'ai la nette impression qu'elle trimballe plus de bagages que moi. On ne réinvente pas sa mère.

Me voici donc assis dans l'avion qui décollera dans quelques instants pour New York où nous prendrons ensuite notre correspondance pour Montréal. Ce n'est pas un Concorde évidemment, mais un confortable 747. La seule vraie différence avec ce que prévoyais Steve, c'est que j'ai changé de compagnon de voyage: j'ai troqué Steve pour ma mère!

Pendant le vol, nous parlons peu. Elle évite les remontrances et je l'apprécie.

Je ne lui raconte pas l'épisode de Vicky et du revolver, ni celui du vol d'argent au motel, ni celui de mes brefs démêlés avec la pègre de Lexington, pas plus que l'altercation dans le bureau de Mitchell McCain qui est venu clore, de façon inusitée, mon séjour au Kentucky. Elle ne me croirait pas de toute façon.

Je préfère lui parler de ma visite au musée du colonel Sanders. C'est plus facile à gober.

Ma mère tue le temps en feuilletant un magazine de mode. Moi, je lis le carton d'instructions en cas de panne de l'appareil. On se distrait comme on peut...

Ce voyage m'a aidé, je crois bien, à me forger une personnalité. Avant, j'étais le fils de Gérald Racine, le frère d'Alexandre, le *chum* de Roxanne, le copain de Steve, le bras droit de Face de Rat... À partir de maintenant, je sens que je vais devenir **le vrai** Marc-André Racine.

Ma mère se montre admirablement compréhensive et calme. Peut-être a-t-elle consulté un psychologue avant de s'envoler pour Lexington, histoire de savoir comment se comporter avec l'enfant à problèmes, l'enfant fugueur que je suis devenu? Mais est-ce que je corresponds vraiment à ce profil?

Elle lit dans mes pensées, car elle répond à la question que je me pose.

— J'ai expliqué à ton père que ce n'était pas une vraie fugue que tu faisais, mais plutôt des vacances que tu prenais.

Moi qui lui ai toujours reproché de me couver. Je m'aperçois aujourd'hui qu'elle a des dents, la mère poule. Elle ajoute:

— Au tout début, il insistait pour que la police te mette le grappin dessus à Toronto. Je lui ai dit: «Gérald, laisse-le se débrouiller un peu. Laisse-le vivre.»

Je demande, un brin déçu:

— Et vous n'avez rien fait?

— J'ai réussi à te négocier trois semaines de vacances. Après, ton père a commencé à rechigner...

— Alors, au téléphone l'autre jour, tu me jouais la comédie?

— Oui et non. J'étais inquiète, c'est sûr. Je suis ta mère après tout. Mais je savais où tu te trouvais. Ça me rassurait un peu.

— Et c'est papa qui t'a obligée à venir me chercher?

— Je l'ai fait de plein gré. Ça m'a fait du bien de prendre congé de ton père, de ton frère et de l'hôpital. J'étais due pour des petites vacances. J'en ai profité pour magasiner une demi-journée à New York. Je rêvais d'y aller.

Ma mère, toute seule à New York! Je ne parviens pas à y croire.

— J'avais hâte de revoir mon fils aîné, dit-elle en me secouant la crinière. Tu m'as manqué.

Puis elle me fait remarquer:

— Dis donc, toi! Tu vas avoir besoin d'une bonne coupe de cheveux au retour!

Cré maman, va!

Les policiers de Lexington n'ont pas fait trop de chichis. Ils m'ont laissé partir après un bref interrogatoire. Je leur ai donné ma version des faits. Je leur ai dit ce que j'avais appris pendant mes derniers jours au Kentucky. Puis, j'ai quitté le poste de police. Ma mère et mon avion m'attendaient...

J'ai tout de même le mérite d'avoir mis la police de l'État sur la piste d'une crapule: Mitchell McCain. Ils ont maintenant le champ libre pour réparer une erreur judiciaire. Mon été n'aura pas servi à rien.

Évidemment, une fois en présence de son avocat, McCain niera tout. Mais les documents que j'ai découverts, le témoignage de l'ex-jockey s'il accepte de parler, la balle tirée dans l'avant-bras d'un gardien de la paix, tout cela devrait finir par peser dans la balance de la justice américaine. On va voir si son système de pesées fonctionne encore correctement.

Du hublot, j'observe la masse moelleuse de nuages blancs. Comme ils ont l'air confortable! Comme ils sont invitants! Un immense lit céleste. Et j'ai tant sommeil. Est-ce que je ne pourrais pas me reposer dessus sans risquer de passer au travers?

Fatigué de regarder par le hublot, je me mets à reluquer les hôtesses. Elles sourient mécaniquement aux passagers. Ces filles-là se sont-elles fait installer un sourire permanent aux lèvres? Moi, je ne pourrais jamais obéir aux quatre volontés de 350 personnes sans râler un bon coup.

Quand l'une d'elles se présente devant moi — elles se ressemblent toutes et je les confonds —, c'est pour distribuer des sacs d'arachides.

— Je voudrais une bière aussi s'il vous plaît.

L'hôtesse interroge ma mère du regard.

— Une pour moi aussi.

Je me tourne vers elle:

— Tu bois de la bière maintenant?

— Comme dans le bon vieux temps, oui. Après ta naissance, j'en buvais parfois un peu avant de te donner le sein. C'était un bon moyen de te calmer, de te faire dormir.

— J'étais turbulent comme bébé?

— Très.

20 DE RETOUR AU *PFK*

Le lendemain de mon retour au pays, je suis allé faire un tour au *Poulet Frit Kentucky*, boulevard Lafleur. En me voyant entrer au restaurant, Face de Rat m'a semblé content de me voir, chose infiniment rare chez ce ronchon notoire. Il m'a serré la main et j'ai tout de suite senti que j'allais redevenir son homme de confiance. Alors, j'ai facilement pu réintégrer mon emploi.

À la maison, mon père ne m'a pas servi la volée promise. Il n'a même pas osé parler de l'argent que je lui avais emprunté. J'ai l'intention de le lui remettre dès que possible. Les bons comptes font les bons amis. Si je rembourse mon père au complet, va-t-il devenir mon copain? Ça prendrait des millions sans doute...

Une semaine plus tard, j'ai reçu une lettre de Steve. Il s'est déniché un emploi de palefrenier dans une autre écurie. Finie la peinture pour le reste de l'été!

Jimmy a intenté des poursuites judiciaires contre Mitchell McCain. Rien n'est gagné, évidemment. Mais Jimmy a réactivé le ressort de sa volonté. L'avocat qui les représente croit qu'il a de bonnes chances de gagner sa cause et de récupérer Greenwood.

Steve prévoit rester encore un certain temps au Kentucky, si sa mère ne s'y objecte pas. Il a changé lui aussi. Est-ce l'influence bénéfique de Jessica? Est-ce la présence paternelle? Toujours est-il qu'il parle désormais de retourner à l'école, de terminer son secondaire, peut-être même un jour d'aller à l'université. Sa lettre se terminait comme suit:

N'oublie pas l'Europe, l'été prochain. Commence dès maintenant à ramasser ton argent, mon vieux.

Steve

P.-S. Mon père te salue et te remercie infiniment pour ton travail de détective... Il dit que tu es plus futé encore que Colombo.

Personnellement, j'aurais préféré une comparaison avec Sherlock Holmes. Mais l'important dans une enquête, ce sont les résultats, non?

Journée d'août suffocante au *PFK*. Dans les cuisines, je me sens comme l'ouvrier d'une aciérie lorsque l'on coule les moules de lave rougeoyante.

Des journées comme aujourd'hui, je comprends un peu mieux pourquoi je vais à l'école. Pourquoi? Tout simplement parce que je n'ai pas envie de faire cuire du poulet toute ma vie... Espérons que je saurai trouver un domaine avec des débouchés. Plombier, par exemple. Ah! non, pas comme Gérald Racine. Jamais!

Face de Rat entre dans les cuisines. Il s'est débarrassé de ses pellicules. Décidément, il a meilleure mine qu'avant. Si ça continue, il faudra lui trouver un autre surnom...

— Prends ta pause, Marc-André, je te remplace.

— Merci boss.

Je me passe la main dans les cheveux. Ils sont graisseux et mouillés en même temps. Pouah!

Dans l'arrière-cuisine, le décor n'a pas changé d'un iota. Toujours cette même empilade de sacs de frites, de boîtes de poulet, de sacs à ordures...

Je m'assois sur ma chaise préférée, c'est-à-dire une chaudière de salade de choux virée à l'envers. Je mange des ailes de poulet en écoutant le grésillement de la radio. Avec toute la poussière qui s'y trouve accumulée, c'est un miracle qu'elle joue encore ce qui ressemble à de la musique.

On cogne à la porte de la sortie de secours.

— Entrez.

La porte s'entrouvre. Un visage réjoui apparaît dans l'embrasure.

— Allô, mon beau Marc-André.

— Salut! Je suis content de te voir. C'est une sacrée belle surprise.

J'enlève mon chapeau de carton et j'embrasse avec appétit cette belle fille qui me rend visite, comme ça, pendant mes pauses.

Ce n'est pas Roxanne, non. Roxanne n'est plus dans le portrait. Plus dans le mien en tous les cas.

Ce n'est pas Fanny non plus. Je ne sais même pas si elle est revenue de Californie. Quant à moi, elle peut bien se faire dorer la couenne sur les plages de Malibu jusqu'à la fin de ses jours. Je ne m'en ennuierai pas.

Non, cette belle fille si joviale, si appétissante et si sensuelle, c'est Samira, ma nouvelle blonde. Une Libanaise.

Elle plonge son regard dans le mien.

— Est-ce que tu m'aimes, Marc-André?

— Ben voyons, Samira. Quelles drôles de questions tu poses des fois... Ben sûr que oui. Et toi?

— Oui, mon homme. Même si tu sens à dix lieues l'huile bouillante et la recette secrète du colonel.

Je pose à nouveau mes lèvres sur les siennes. Elles sont si charnues, si gonflées de vie.

— Tu sais quoi, Samira?

— Quoi donc?

— Tu es la meilleure blonde que j'aie jamais eue.

— Ça ne veut rien dire. Je te gage que je suis la première.

J'ai préféré ne pas lui parler de Fanny ou de Roxanne. Dans la vie, il faut éviter de répéter toujours les mêmes erreurs. C'est ce qui s'appelle l'expérience, je crois.

Table des matières

ROGER POUPART

Roger Poupart est né en 1960 à Saint-Constant. Il a fait de longues études en sciences politiques et en administration. Aujourd'hui, il est travailleur autonome et il s'acharne à convaincre ses proches que c'est un métier d'avenir («Personne ne peut me mettre à la porte — c'est moi le patron!»). Pour gagner sa vie, il rédige des textes très sérieux: des discours pour des hommes et des femmes d'affaires, des rapports annuels de compagnies, des brochures corporatives, des articles à teneur économique... Puis, il écrit pour les ados des textes, heureusement, beaucoup moins sérieux. *Un été western* est son cinquième roman pour la jeunesse.

Quand il n'écrit pas, Roger Poupart voyage, joue au basketball ou au golf — ou plus exactement cherche ses balles dans le bois! Il adore le blues et se passionne pour ses créateurs. Il aime aussi la musique country, le cinéma, la bière, les nachos...

Collection Conquêtes
dirigée par Robert Soulières

1. Aller retour
de Yves Beauchesne et David Schinkel
Prix Cécile-Rouleau de l'ACELF 1986
Prix Alvine-Bélisle 1987

2. La vie est une bande dessinée
nouvelles de Denis Côté

3. La cavernale
de Marie-Andrée Warnant-Côté

4. Un été sur le Richelieu
de Robert Soulières

5. L'anneau du Guépard
nouvelles de Yves Beauchesne et David Schinkel

6. Ciel d'Afrique et pattes de gazelle
de Robert Soulières

7. L'affaire Léandre et autres nouvelles policières
de Denis Côté, Paul de Grosbois, Réjean Plamondon
Daniel Sernine et Robert Soulières

8. Flash sur un destin
de Marie-Andrée Clermont
en collaboration avec un groupe d'élèves

9. Casse-tête chinois
de Robert Soulières
Prix du Conseil des Arts du Canada, 1985

10. Châteaux de sable
de Cécile Gagnon

11. Jour blanc
de Marie-Andrée Clermont et Frances Morgan

12. Le visiteur du soir
de Robert Soulières
Prix Alvine-Bélisle 1981

13. Des mots pour rêver
anthologie de poètes des Écrits des Forges

14. Le don
de Yves Beauchesne et David Schinkel
Prix du Gouverneur général 1987
Certificat d'honneur de l'Union internationale
pour les livres pour la jeunesse

15. Le secret de l'île Beausoleil
de Daniel Marchildon
Prix Cécile-Rouleau de l'ACELF 1988

16. Laurence
de Yves E. Arnau

17. Gudrid, la voyageuse
de Susanne Julien

18. Zoé entre deux eaux
de Claire Daignault

19. Enfants de la Rébellion
de Susanne Julien
Prix Cécile-Rouleau de l'ACELF 1988

20. Comme un lièvre pris au piège
de Donald Alarie

21 Merveilles au pays d'Alice
de Clément Fontaine

22. Les voiles de l'aventure
de André Vandal

23 Taxi en cavale
de Louis Émond

24. La bouteille vide
de Daniel Laverdure

25. La vie en roux de Rémi Rioux
de Claire Daignault

26. Ève Dupuis 16 ans et demi
de Josiane Héroux

27. Pelouses blues
de Roger Poupart

28. En détresse à New York
de André Lebugle

29. Drôle d'Halloween
nouvelles de Clément Fontaine

30. Du jambon d'hippopotame
de Jean-François Somain

31. Drames de coeur pour un 2 de pique
de Nando Michaud

32. Meurtre à distance
de Susanne Julien

33. Le cadeau
de Daniel Laverdure

34. Double vie
de Claire Daignault

35. Un si bel enfer
de Louis Émond

36. Je viens du futur
nouvelles de Denis Côté

37. Le souffle du poème
une anthologie de poètes du Noroît

38. Le secret le mieux gardé
de Jean-François Somain

39. Le cercle violet
de Daniel Sernine
Prix du Conseil des Arts 1984

40. Le 2 de pique met le paquet
de Nando Michaud

41. Le silence des maux
de Marie-Andrée Clermont
en collaboration avec un groupe d'élèves
de 5e secondaire de l'école Antoine-Brossard

42. Un été western
de Roger Poupart

en grand format

Les griffes de l'empire
de Camille Bouchard